Byd
Hollol
Anhygoel
Twm Clwyd
Liz Pichon
Addasiad Gareth F. Williams
RILY

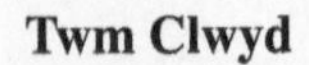

Twm Clwyd

ISBN 978-1-84967-156-9

Addasiad Cymraeg gan Gareth F. Williams, 2013

Cyhoeddwyd yn wreiddiol yn Saesneg o dan y teitl
The Brilliant World of Tom Gates
gan Scholastic Children's Books, argraffnod Scholastic Ltd,
Euston House, 24 Eversholt House, Llundain NW1 1DB.

Argraffwyd a rhwymwyd ym Mhrydain
gan CPI Cox (UK) Ltd, Croydon, CR0 4YY

Cyhoeddwyd gan Rily Publications Ltd
Blwch SB 20
Hengoed,
CF82 7YR

www.rily.co.uk

Chwilen
fechan

Mae'r llyfr hwn TWM CLWYD yn haeddu

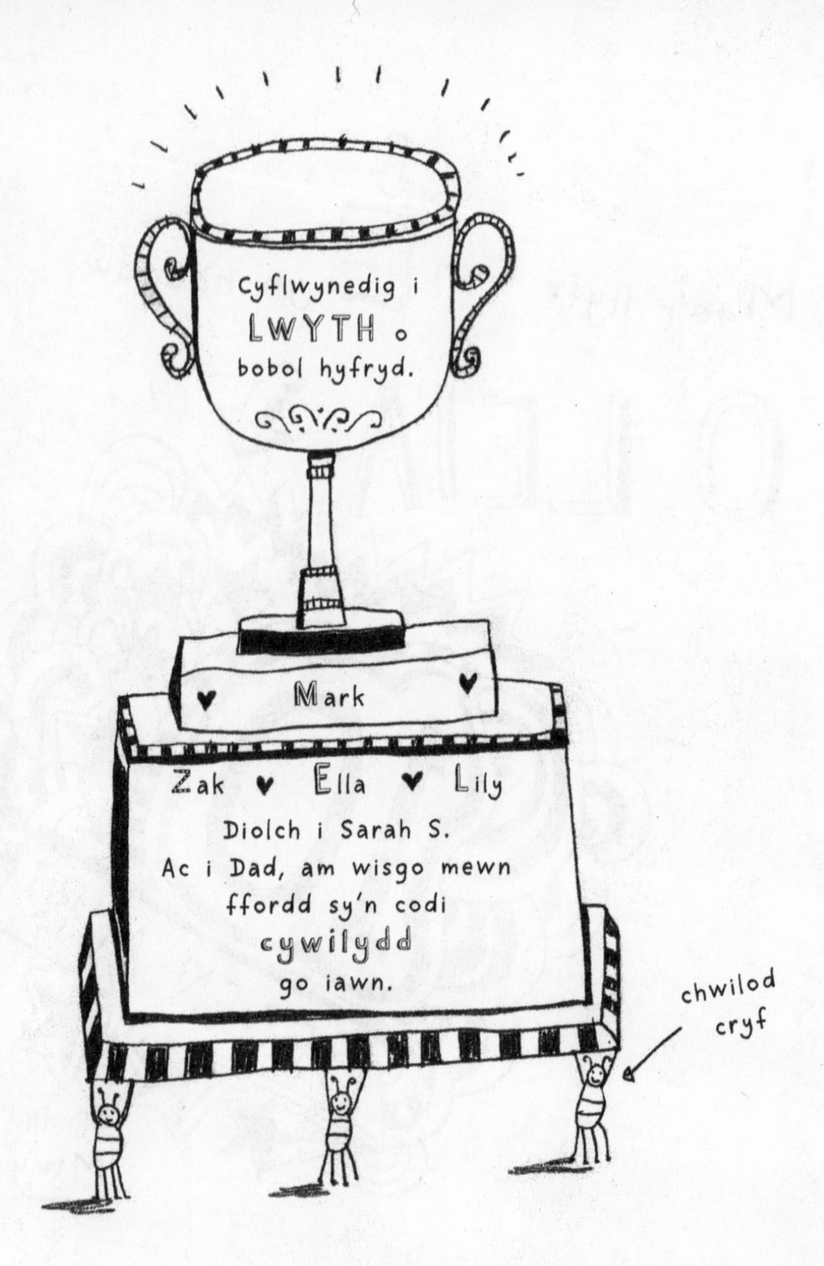
Cyflwynedig i
LWYTH o
bobol hyfryd.
Mark
Zak ♥ Ella ♥ Lily
Diolch i Sarah S.
Ac i Dad, am wisgo mewn
ffordd sy'n codi
cywilydd
go iawn.
chwilod
cryf

TWM CLWYD
FI

IE-E-E!

Er mod i ond yn byw ryw bedwar munud o'r ysgol, dwi'n hwyr yn amal.

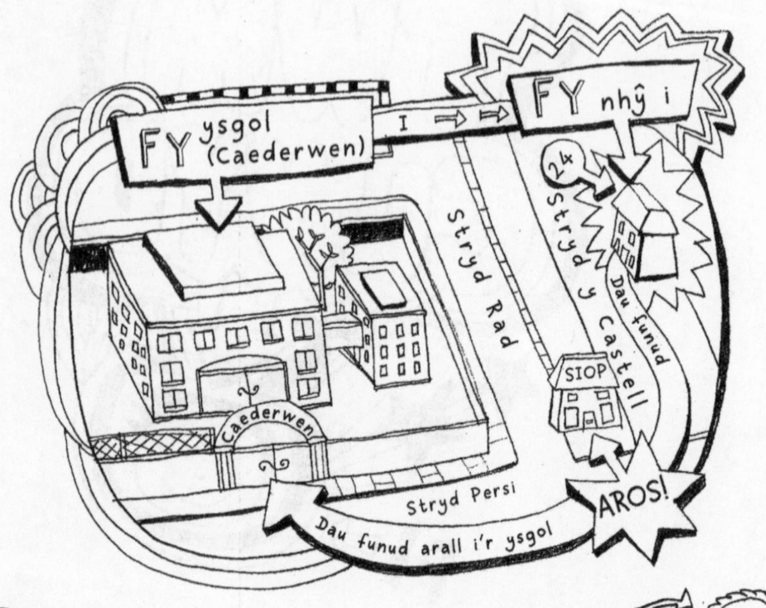

Mae hyn gan amla am fy mod i a Derec (fy mêt gora a boi drws nesa) yn "sgwrsio" ychydig (wel, LOT) ar y ffordd. Weithia, mae ein sylw'n cael ei gipio gan betha fel stici gyms a wafferi caramel o'r siop. Weithia am fod gen i lwythi o betha pwysig eraill i'w gneud.

Er enghraifft, dyma be wnes i bore 'ma (fy niwrnod cynta 'nôl yn yr ysgol).

Deffro -

Chwarae'r gitâr

Rholio allan o'r gwely (yn ara deg)

Chwilio am sana

Chwilio am ddillad

Chwarae'r gitâr eto

Sylweddoli nad ydw i wedi gneud fy "ngwaith cartref gwyliau"

PANICIO - ond meddwl am esgus pam na wnes i'r gwaith (ffiw!).

Mynd ar nerfa fy chwaer, Delia. Rhaid deud, mi gymerodd hyn dipyn GO LEW o'r bore (ond roedd yn hwyl!).

Cuddio sbecs haul Delia.

Mynd â chomic efo fi i'r stafell molchi (a Delia'n aros y tu allan - Ha! Ha!).

Pan waeddodd Mam ...

"Twm! Ti'n HWYR i'r Ysgol!"

Rhedeg heibio i Delia

(yn dal i aros am y stafell molchi

a braidd yn flin rŵan).

Mae fy chwaer mor glên.

Arbed amser prin drwy:

Beidio brwsio 'ngwallt

Peidio glanhau dannedd (mond ychydig)

Peidio rhoi sws ta-ta i Mam

(Dwi'n rhy hen i betha sopi fel'na)

Bwyta'r tamaid olaf o dost, cipio

fy mag bwyd a 'meic. Gweiddi HWYL!

ar bwy bynnag sy'n gwrando.

A mynd ar wib i'r ysgol - dau funud ar ei ben.

Syn RECORD BYD Newydd i TWM CLWYD... A dyma'r peth gora UN... Mae EFA PARRI newydd gyrraedd hefyd!

Dwi mor falch o'i gweld hi ar ôl y gwylia. Felly dyma wenu arni efo gwên gyfeillgar, cŵl.

Ond dydi Efa ddim wedi'i phlesio. Mae hi'n sbio arna i fel taswn i'n od (dydw i ddim).

(Dyma gychwyn gwael i'r diwrnod.)

Ond mae gwaeth i ddod ...

Mae Mr Ffowc (fy athro dosbarth) yn gneud i'r dosbarth cyfan sefyll y tu allan i'r stafell. Mae'n deud

"Croeso 'nôl, Dobarth 5C. Mae gen i syrpréis MAWR i chi i GYD."

(Sy ddim yn newyddion da.)

O NA! Mae o wedi aildrefnu'r desgiau I GYD! Dwi'n eistedd reit yn nhu blaen y dosbarth rŵan. Gwaeth fyth, mae Carwyn "Swnyn" Campbell wrth f'ochor i.

Am DRYCHINEB. Sut wna i ddarllen fy nghomics a thynnu llunia? Yng nghefn y dosbarth ro'n i'n gallu osgoi llygaid barcud yr athro. Rŵan, dwi mor agos at Mr Ffowc, dwi'n gallu gweld reit i fyny'i drwyn o.

O'r blaen

RŴAN

Blaen y dosbarth

Ac i goroni'r cwbwl, Carwyn Campbell ydi'r hogyn mwya diflas yn yr ysgol GYFAN. Mae o MOR fusneslyd ac yn meddwl ei fod o'n gwbod pob dim.

Mae Carwyn Campbell yn mynd ar fy nerfa'n barod ...

Mae o'n sbecian dros f'ysgwydd wrth i mi sgwennu hwn.

Mae o'n dal yn sbecian ...

Yn dal wrthi ...

Ydw, CARWYN, dwi'n sgwennu amdanat

CARWYN Campbell

gyda gwep fel llygoden.

Mae gan Carwyn Campbell ben fel

Carw!

Carwyn Carw ...

(Mae o wedi rhoi'r gora i sbecian rŵan.)

OND mae 'na newyddion da ☺, achos pwy sy'n eistedd yr ochor arall i mi, ond EFA PARRI, sy'n ddel ac yn hyfryd (er nad oedd hi wrth ei bodd pan welodd hi fi'r bore 'ma).

GWYCH! O leia mi fedra i sbecian yn slei dros ei hysgwydd ar ambell i ateb cywir.

Dwi'n siŵr ei bod hi'n sbio arna i rŵan.

Mae EFA PARRI yn hyfryd iawn.

Mae EFA PARRI yn Glyfar ☺

Dydi hi ddim yn sbio.

Mae hi'n f'anwybyddu ... dwi'n meddwl.

Waeth i mi roi'r gora felly i sgwennu petha neis, a dŵdlo'n lle hynny.

Yna medda **Mr F**fowc ...

"Fel y gwelwch chi, dwi wedi newid ambell beth."

(O, dwi'n gwbod, mêt!)

Yna mae o'n dechra galw'r cofrestr.

(Fel arfer mi faswn i'n neidio ar y cyfle hwn i dynnu llunia cŵl, neu i gael cip sydyn ar gomic. Ond dwi **MOR** agos i Mr Ffowc a'i lygaid barcud, mae'n rhaid i mi aros iddo fo orffen a mynd i gefn y dosbarth cyn y gallaf ddŵdlo yn fy llyfr.)

O'r diwedd, mae o wedi mynd. Dwi'n trio meddwl am enw i'n band ni, Derec a fi. Dydan ni ddim yn wych **ETO**... ond os alla i feddwl am enw da, bydd hynny'n ein helpu i swnio'n cŵl.

Be am ÊLIYNS ESTRON? Y MILWYR TRAED?

Wn i ... CŴN SOMBI?

Mae Mr Ffowc yn torri
ar fy nhraws (dim ond cael a chael
oedd hi i droi'r dudalen mewn pryd)
er mwyn dosbarthu'r darn cynta
o waith y tymor hwn. (Sblych!)

Ein Gwyliau Ni

Croeso'n ôl, Ddosbarth 5C.

Heddiw, rwyf am i chi ysgrifennu stori am yr hyn a wnaethoch yn ystod gwyliau'r haf.

* Aethoch chi i rywle arbennig?
* Aethoch chi i ymweld â'ch teulu?
* Sut oedd y tywydd, a ble wnaethoch chi aros?

Cofiwch ddisgrifio popeth yn fanwl iawn.

Edrychaf ymlaen yn fawr at gael darllen am eich gwyliau!

Mr Ffowc

(Doedd fy ngwylia i ddim yn llwyddiant mawr, ond mae'r stori'n gorffen yn hapus iawn.)

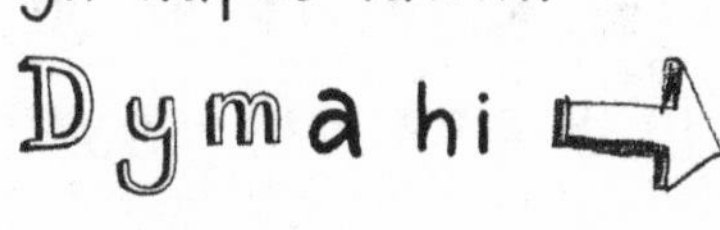

Mae Gwersylla'n Sblychlyd

Medda Dad eleni, "Mi awn i wersylla, mae'n rhad." Doedd Mam ddim yn edrych yn hapus iawn, ond do'n i 'rioed wedi bod yn gwersylla, felly ro'n i'n edrych ymlaen.

Aeth Dad a minna i'r siop wersylla i brynu petha pwysig fel:

1. Pabell
2. Sachau cysgu
3. Stwff coginio
4. Gwialenni pysgota
5. ~~Teledu~~
6. ~~Cyfrifiadur~~

"Fyddan ni ddim angen llawer," meddai.

Dad

Ond roedd yna stwff cŵl yn y siop ac aeth Dad dros ben llestri. Gwariodd LWYTH o bres, gan neud i mi addo peidio â deud wrth Mam.

"Byddai aros mewn gwesty neis yn rhatach," medda Dad.

"O, does 'na ddim byd fel cysgu dan y sêr a deffro yn yr awyr iach!" medda dyn y siop wrth gymryd pres Dad.

LLWYTHI o Stwff
Mwy fyth o stwff
Mwy o Stwff
STwff
DAD
Sinc y gegin
STWFF
PABELL DEULU
fi

Os oedd Dad wedi prynu un llwyth mawr ... roedd Mam wedi pacio llwyth mwy fyth. Roedd y car yn llawn dop. Doedd Delia, fy chwaer, ddim yn hapus iawn am orfod dod efo ni. Dydi hi ddim yn cael aros adra ar ei phen ei hun gan ei bod hi wedi cael parti **GWYLLT** y tro diwetha i Mam a Dad fynd i ffwrdd. (Aros drws nesa efo Derec wnes i. Doedd ei rieni yntau ddim yn hapus iawn, chwaith, o gael eu deffro ganol nos.)

I ffwrdd â ni, ac aeth bob dim yn hwylus am ychydig. Yna aethon ni'r ffordd anghywir, a mynd ar goll.

Ar Dad roedd y bai, medda Mam, am beidio gwrando. Ar Mam roedd y bai, medda Dad, am fethu darllen y map yn iawn. Pwdodd y ddau efo'i gilydd.

Teiar fflat  wnaeth iddyn nhw roi'r gora i ffraeo. Dyma ffonio'r Gwasanaeth Achub Ceir, a ddaeth ymhen hir a hwyr.

Cymerodd **HYDOEDD** iddyn nhw drwsio'r teiar, ac roedd hi wedi hen dywyllu erbyn i ni gyrraedd y gwersyll. Doedd Delia ddim yn hapus (dydi Delia byth yn hapus). Roedd y lle'n edrych fel **TWLC** meddai, a doedd dim signal ar ei ffôn. Ha! Ha! Ha! Roedd y lle'n edrych yn iawn i mi. Felly helpais Dad efo'r babell tra oedd Mam yn gwagio'r car. (Wnaeth Delia ddim byd.)

Doedd codi'r babell ddim yn hawdd, ond mi wnaethon ni'n gora glas.

Roedd hi braidd yn hwyr i fwyta. "Mi wna i frecwast mawr yn y bore," medda Dad.

Ond roedd fy stumog yn **chwyrnu** ac yn fy nghadw'n effro.

Cofiais am y bisgedi ro'n i wedi'u cuddio yn fy mag. Amdanyn nhw, felly, a'u bwyta nhw i gyd! Aeth briwsion i bob man gan droi fy sach gysgu'n un anghyfforddus ar y naw. Er bod gynnon ni "babell deulu" efo stafelloedd ar wahân, ro'n i'n mynd ar nerfa Delia drwy fod mor aflonydd drwy'r amser.

GWYCH! Roedd yn rhaid dal ati, felly, yn doedd? Ond ar yr un pryd, ro'n i'n gallu clywed Mam a Dad yn ...

CHwyrnu ac roedd hynny hefyd yn fy nghadw'n effro. Am dwrw. Roedd o fel tarana, bron, yn rhygnu'n ddwfn. Ond wedyn dyma fi'n deall pam ei fod o'n swnio fel tarana – gan mai tarana oeddan nhw. Yn dod yn nes. Roedd yna fellt hefyd, a glaw trwm iawn reit uwchben y babell. Roedd y storm yn ANFERTH a chwythodd y babell i ffwrdd.

AGH!
HELP!

Rhedodd pawb i gysgodi yn y car. Parodd y storm drwy'r nos, gan droi'n holl stwff ni'n wlyb a mwdlyd.
Roedd Dad wedi codi'r babell reit DRWS NESA I'R NANT! ac roedd honno wedi gorlifo gan wlychu bob dim.
Chysgodd neb yr un winc. Sôn am ddiflas.

Weli di'r broblem ...?

Yn y bore, aeth Dad i drio cael ei arian yn ôl gan ddyn y gwersyll (tra oedden ni'n cysgu yn y car).

Cwynodd fel dwn i'm be ond i ddim pwrpas. Aeth Mam ati i hel ein stwff gwlyb at ei gilydd, ond roedd bob dim wedi'i ddifetha (gan gynnwys y babell). Ro'n i'n gallu ei chlywed hi'n mwmian petha fel "Gwylia iawn y tro nesa" a "Gwlad Groeg" dan ei gwynt.

Roedd Delia'n crio (eto fyth) am fod ei ffôn yn wlyb ac yn gwrthod gweithio. Cododd hynna fy nghalon. Felly dyma fi'n penderfynu gneud y gora ohoni a mynd i weld be oedd yma. Coed, yn un peth – rhai gwych i'w dringo. Ro'n i o fewn dim i gyrraedd TOP un coeden, pan dorrodd y GANGEN o dan fy nhroed.

Do'n i ddim wedi sylweddoli mod i mor uchel nes i mi syrthio ...

Roedd o'n reit cŵl ...

Clywodd Delia'r FLOEDD wrth i mi daro'r ddaear. Daeth a sefyll yno fel llo wrth i mi rowlio ar y ddaear mewn poen ac yn mwytho fy mraich.

Roedd y boen yn OFNADWY ond doedd Delia'n malio dim.

O'r diwedd, aeth hi i nôl Mam.

"Dyna'r cwbwl dwi'i angen," medda Mam wrth fynd â mi i'r babell cymorth cyntaf. Mi ges i lolipop a chadach am fy mraich (ro'n i'n ddewr iawn).

Doedd y gwylia gwersylla ddim yn mynd i bara'n hir. Roedd mwy o law ar ei ffordd, felly penderfynodd Mam a Dad mai'r peth calla (dim pabell, dim dillad sych) oedd mynd adra.

Do'n i ddim yn poeni ryw lawer ac roedd Delia wrth ei bodd. Felly, ar ôl pacio, i ffwrdd â ni.

Adra

Mi arhoson ni mewn bwyty neis ar y ffordd adra, ac mi lwyddais i fwyta pizza anferth efo un fraich. Roedd y fraich arall yn brifo fel coblyn ond wnes i ddim cwyno gan mai heddiw oedd y tro cyntaf ers hydoedd i bawb edrych yn hapus.

Cafodd Derec a Mr a Mrs Pringle drws nesa sioc o'n gweld ni'n cyrraedd adra mor fuan. Roedd fy mraich MOR boenus, mi es i'n stafell i gael golwg iawn arni.

Fy nhro i oedd hi i gael sioc rŵan. Roedd fy mraich wedi troi'n biws ac wedi CHWYDDO fel balwn.

Dangosais hi i Mam a Dad a rhoi sioc iddyn nhw hefyd. "Rwyt ti'n edrych fel FFRÎC" oedd geiria clên Delia. Yn ôl i'r car â Mam a Dad a finna, gan adael Delia gartref.

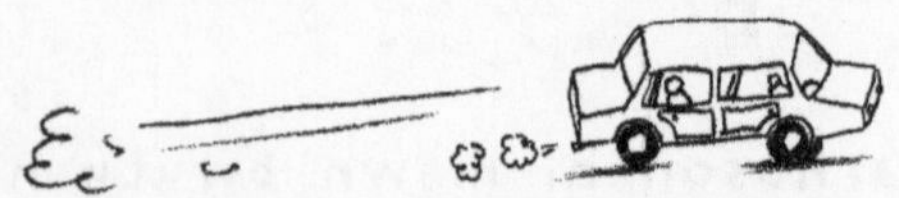

Drwy lwc, dydi'r fraich ddim yn ddrwg. Wedi'i tharo hi ro'n i, ac roedd y cadach wedi cael ei lapio amdani'n rhy dynn. I ffwrdd â fo, felly, ac mi ges i sling cŵl yn ei le.

(Dwi am fyw, felly!)

Roedd hi'n o hwyr erbyn i ni gyrraedd adra, ac roedd sŵn miwsig yn FFRWYDRO o'r tŷ. Aeth Mam a Dad yn GANDRYLL

Roedd Delia wedi gwadd llwyth o'i ffrindia acw am barti – ac O! roedd hi amdani.

Anghofiais bob dim am fy mraich wrth wrando ar Delia'n cael stwr gan Mam a Dad. Cheith hi ddim mynd allan rŵan am sbelan.

Hwn oedd y DARN GORA un o'r gwylia i gyd.

Y DIWEDD

5 Seren

Mae'n swnio fel dy fod wedi
cael amser diddorol iawn, Twm!
Gwaith ardderchog. Roeddwn
i'n teimlo fel petawn i yno –
ond yn falch nad oeddwn i!

WAW! Roedd Mr Ffowc yn hoffi fy stori! Dwi erioed wedi cael 5 seren o'r blaen. Dwi'n gadael fy llyfr ar agor er mwyn i EFA PARRI weld mor glyfar ydw i. Ond dydi hi ddim yn cymryd sylw.

Falla wneith hyn helpu:

Mi ges i 5 SEREN

Na, dydi hi ddim yn sbio, hyd yn oed.
Mae Carwyn yn deud ei fod o wedi cael
5 seren hefyd.
"Grêt," medda fi.
"Rydan ni fel efeilliaid rŵan."
(Am bloncyr!)

Dyma ddangos fy stori i Mam a Dad, gan feddwl
y basan nhw'n falch ohona i (am unwaith).

Yn lle hynny, dwi'n cael nodyn gan Mam i'w roi i Mr Ffowc.

Annwyl Mr Ffowc

Rydym mor falch fod Twm wedi cael pum seren. Hoffwn ddweud, fodd bynnag, mai eithriad oedd y gwyliau yma. Rydym yn rhieni cyfrifol IAWN, fel y gwyddoch.

Mae braich Twm yn iawn bellach – rhag ofn eich bod yn poeni (a rhag ofn iddo geisio osgoi Ymarfer Corff).

Cofion gorau,

Mr a Mrs Clwyd

Roedd Mam, dwi'n meddwl,
yn poeni bod fy stori yn gneud
iddyn nhw edrych fel rhieni gwael.

Amser CHWARAE!

Cyfle i mi sgwrsio efo rhai mêts dwi ddim wedi'u gweld dros y gwylia. Mae Marc Clwmp wedi cael anifail arall (ond mae o'n gwrthod deud be ydi o).

Dydi Norman Watson ddim yn cael bwyta da-da, nac UNRHYW BETH efo rhifau E ynddo fo – maen nhw'n ei neud o'n hollol WYLLT. Ond rŵan mae o'n rhedeg o gwmpas yr iard efo'i siwmper dros ei ben, yn gweiddi "Dwi'n êliyn, dwi'n êliyn," sy'n gneud i mi feddwl ei fod o wedi bwyta ambell i dda-da bach slei heddiw'n barod.

Cledwyn Caleb (CALED ydi'i lys enw fo) ydi'r hogyn talaf yn yr ysgol. Mae o wedi TYFU eto fyth, dwi'n siŵr.

Yna daw Derec ata i (mae o yn nosbarth Mrs Williams, gan ein bod ni'n clebran gormod). Dwi wedi gweld tipyn arno fo dros y gwyliau (mae'i wallt o wedi tyfu, ond dydi o ddim).

Dangosaf iddo'r llunia a'r syniada am enw'r band (CŴN SOMBI ydi'i ffefryn o – a finna).

Yna mae Carwyn Campbell yn torri ar ein traws.

"Be ydi hwnna?"

"Syniada ar gyfer ein band ni."

"Pa fand?"

"Mae Derec a finna mewn band,
ac yn trio meddwl am enw iddo fo."

"O – hawdd!"

"Ydi o?" (Mae syniad gan Carwyn.)

"Ydi, galwch eich hunain yn

'Methiant Llwyr'.

Ha! Ha! Ha!" medda Carwyn.

Mae o hyd yn oed yn fwy diflas eleni nag roedd o'r llynedd (os ydi hynna'n bosib).

Mae Mr Ffowc wedi gosod gwaith cartra yn barod. (Mae fel tasan ni 'rioed wedi cael gwylia.)

GWAITH CARTREF

Pawb i ysgrifennu ADOLYGIAD.

Gall fod yn adolygiad o lyfr, drama, cyngerdd neu ffilm: rhywbeth rydych wedi'i ddarllen neu ei weld.

Gofynnwch sawl cwestiwn i chi'ch hunain:

Disgrifiwch y ffilm/llyfr/cyngerdd.
Beth roeddech chi'n ei hoffi (neu ddim) amdano?
Rhowch ddisgrifiad ohono.

Gan edrych ymlaen yn fawr iawn at ddarllen eich gwaith.

Mr Ffowc

(Mi ga i weld be sy ar y teli heno cyn darllen yr adolygiad yn y papur. Dyna ffordd dda o ddechra.)

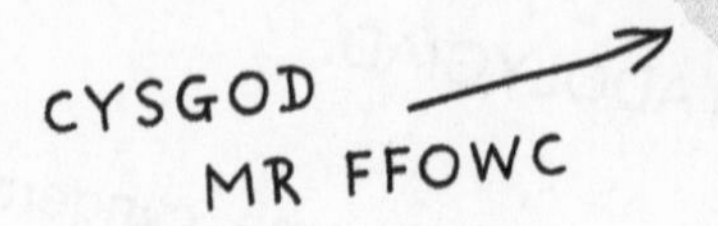

Mae gorfod eistedd mor agos at Mr Ffowc yn dipyn o boen yn barod gan mod i'n gorfod ... **gweithio.** Mae'n **LLADDFA!**

(Dydi Efa ddim wrth ei bodd wrth fy ochor i, chwaith. Ond falla, os welith hi fi'n gweithio, fydd hi'n meddwl fy mod i'n glyfar.)

Dwi am drio gneud argraff dda arni hi.

Mae hi newydd fy nal i'n sbecian ar ei gwaith hi. Dwi'n smalio bod yn brysur, ond mae hi'n bendant wedi fy nal i.

Wn i – mi dynna i lun o rywbeth **DIGRI**.

Mr Ffowc efo gwallt ...

(Dydi hynna ddim yn plesio Efa chwaith.)

Ar ôl 'rysgol, dwi'n cwrdd â Derec wrth y sied feiciau. Mae ein beiciau ni'n cŵl iawn. Mae f'un i'n sticeri ac yn ddŵdls drosto. Mae un Derec wedi gweld dyddiau gwell, ond yn goblyn o gyflym. Mae'n anodd peidio sylwi ar feic go ryfedd yn y sied (un hyll iawn a deud y gwir). Mae 'na ffWR a FFLWFF drosto fo, ac mae 'na lygaid gwirion sy'n woblan yn hongian oddi ar y cyrn.

"Mae'n edrych fel Carwyn," medda Derec.

"Neu Norman Watson ar ôl byta da-da," medda fi.

"Mi fetia i mai ryw blentyn bach newydd sy bia fo," medda Derec.

"Ond sut fath o berson fasa'n mynd o gwmpas ar feic hurt fel hwnna?" medda fi.

Ha! Ha! Ha! Ha! Mae'r ddau ohonon ni'n chwerthin ac Ha! Ha! Ha! Ha! yn pwyntio.

Ond dydi EFA PARRI ddim yn chwerthin – ei beic hi ydi o.

Mae Stan y Gofalwr yn ysgwyd ei ben ac yn twt-twtio (gan neud i'w allweddi dincian).

TWT TWT

Dwi wedi llwyddo i ypsetio Efa (ETO FYTH!). Mae hi'n fy ngalw i'n IDIOT wrth fynd ar ei beic. Dwi'n deud "sori" ond dydi hi ddim yn gwrando. (Chymerodd hi ddim sylw o fy mhum seren i chwaith.)

Am ddiwrnod ofnadwy.

Ar fy ffordd adra, gwelaf bosteri **3 DIWD**, fy hoff fand, ym mhobman yn y dre.

Dydi hyn, hyd yn oed, ddim yn codi 'nghalon.

Mae Derec yn trio bob ffordd i neud i mi chwerthin.

Ond fedra i ddim meddwl am ddim byd ond am Efa yn fy ngalw i'n idiot (creulon) a Carwyn yn ein galw ni'n fethiant llwyr.

"Tria weld yr ochor ddigri," medda Derec.

Ond pan dwi'n gofyn iddo fo be'n union sy'n ddigri, dydi o ddim yn gwybod.

"Dywediad ydi o."

Grêt.

Mae'n rhaid i mi feddwl am ffordd o blesio Efa, a dydi hynna ddim am fod yn hawdd.

Falla na fydd yr ymarfer band efo Derec heno 'ma yn fawr o hwyl, achos does 'na DDIM BYD a fedrith godi 'nghalon i rŵan.

Dim byd o gwbwl ...

MAE **MAM** WEDI PRYNU

Wafferi Caramel

ARDDERCHOG!

GWYCH! FY FFEFRYNNAU!

Hwrê Hwrê Hwrê! Hwrê!
Hwrê Hwrê Hwrê! Hwrê!

(Dwi'n teimlo'n well mwya sydyn.)

Dwy bob un i Derec a finna, efo diod o sgwash. (Rydan ni angen nerth ar gyfer yr ymarfer band.)

Mae Mam yn deud wrtha i am:

"Adael un i **Delia!**"

(Go brin!)

Yn lle hynny, dyma fi'n dangos tric da i Derec efo'r waffer ola.

1. Yn ofalus iawn, iawn, tynnu'r waffer o'r papur.
2. Bwyta'r waffer ola, (hanner bob un) yn gyflym cyn i Delia gyrraedd adra.

Iym Iym

3. Plygu'r papur yn ofalus yn ei ôl, gan ofalu ei fod yn edrych fel petai 'na fisgeden y tu mewn iddo fo.

4. Gwylio Delia'n agor y papur gwag (ha ha).

Gweithiodd y tric **YN WYCH**.

Gallaf glywed Delia'n cwyno amdana i wrth Mam i lawr y grisia. Dyma gyfle, felly, i sleifio i mewn i'w stafell a benthyca copïau o **ROC NAWR**, i Derec a finna gael eu darllen.

(Ysbrydoliaeth ar gyfer yr ymarfer band. Mae llwythi o lunia da o wahanol fandia ynddyn nhw.)

Mynd ati wedyn i

Dydi o ddim yn gweithio bob tro.

(Rhaid i mi gofio gneud fy ngwaith cartra hefyd - sgwennu adolygiad ... Dim problem.)

Mr Ffowc

Mae'n **DDRWG** iawn gen i.

Dyma i chi be ddigwyddodd.

Ro'n i newydd orffen sgwennu'r adolygiad pan - yn hollol ddamweiniol - gollais wydraid **ANFERTH** o ddŵr drosto fo i gyd.

Dwi'n lloerig am hyn gan ei fod o'n adolygiad **GWYCH** iawn.
(Yn haeddu pump seren, yn saff, os nad chwech.)

O, Twm druan.

Am lanast. Edrychaf ymlaen at weld copi arall yfory. Bydda'n ofalus gyda'r hen wydrau MAWRION rheiny o ddŵr o hyn allan!

(Dwi'n meddwl bod yr esgus yma wedi gweithio, ond dwi am ei neud o'n iawn erbyn fory.)

Celf rŵan - gwych - un o'm hoff wersi.

Mae Mr Ffowc am i ni i gyd dynnu llunia ohonon ni'n hunain.

Bydd y rhain yn cael eu rhoi i fyny rownd yr **HOLL YSGOL** er mwyn i bawb gael eu gweld nhw (a chael hwyl iawn, mwn).

Mae Mr Ffowc yn rhoi drych bach bob un i ni, er mwyn i ni fedru sbio ynddyn nhw wrth dynnu'r llunia (sy ddim yn hawdd o gwbwl).

Mae'r dosbarth yn dawel am unwaith wrth i bawb ganolbwyntio. Pawb ond Norman Watson, sy'n cael ei symud am ei fod o'n sgleinio'i ddrych i wynebau pawb a'u dallu.

Yna daw Mrs Williams (athrawes Derec) i mewn er mwyn i Mr Ffowc gael gneud rhyw waith pwysig (fel yfed coffi a darllen y papur newydd).

Mi fydd Mrs Williams yn dysgu mathemateg i ni weithia. Mae bob dim wastad yn 'hyfryd' ganddi hi. Ac mae hi mewn hwyliau 'hyfryd' heddiw hefyd.

"Dwi'n edrych ymlaen at weld eich lluniau hyfryd chi," medda hi'n siriol.

Gan fy mod i'n mwynhau celf a thynnu llunia, dwi'n gweithio'n galed iawn.

Golwg go od sy ar lun Efa ohoni hi ei hun. (Dydi hi ddim yn edrych fel'na go iawn.)

Ond mae'n well na llun Carwyn. Mae ganddo homar o ben **MAWR** yn y llun (wel, mae hynna'n wir, beth bynnag).

Ar ôl iddi sylwi fy mod i wedi gorffen, daw Mrs Williams draw i gael sbec.

"*Am ddarlun hyfryd, Twm,*" medda hi.

"*Bydd Mr Ffowc wrth ei fodd,*" medda hi wedyn.

Ond dwi ddim yn gwrando arni ... achos dwi newydd sylwi, a hitha mor agos, fod gan Mrs Williams rywbeth ar ei gwefus ucha sy'n edrych braidd fel, wel ...

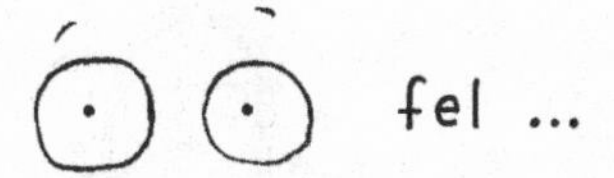

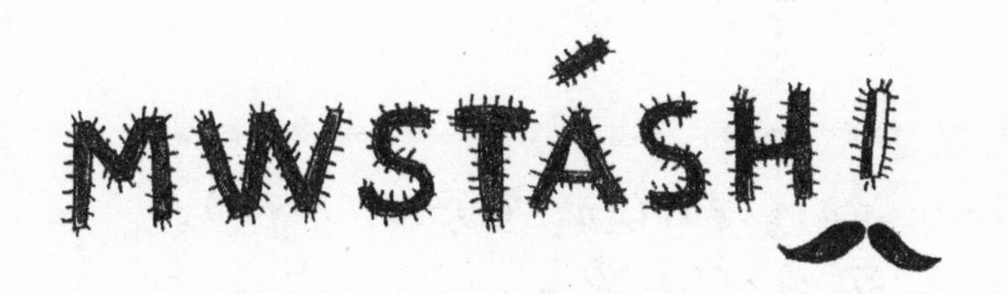

Dwi'n gneud fy ngora glas i beidio â syllu.

(Ond mae'n anodd iawn peidio.)

(Paid â syllu ... Paid â syllu ...

Sbia ar ei hwyneb hi, nid ar y mwstásh.)

"Twm, pam na wnei di dynnu llun hyfryd arall?"

Syniad da.

"Ond y tro hwn, meddylia'n ddwys am y person yn y darlun. Cofia, hefyd, fod mor FANWL ag y medri di."

O'r gora, Mrs Williams.
Mi wna i fy ngora glas.

Dyma ni, felly ...

Dwi'n cael y teimlad rŵan nad ydi Mrs Williams yn hoffi fy llun (na minna) ryw lawer.

Ysgol Caederwen
Parthed: Twm Clwyd

Annwyl Mr a Mrs Clwyd

Mae'n ddrwg iawn gennyf orfod dweud hyn, ond bydd Twm yn cael ei gadw i mewn dros amser cinio yfory. Mae hyn oherwydd iddo dynnu llun anffodus ohonof i. Rwy'n mawr obeithio y bydd hyn yn wers i Twm ac y bydd yn sylweddoli bod cryn wahaniaeth rhwng tynnu llun manwl ... a bod yn bowld.

Yr eiddoch yn gywir,

Mrs Williams

(Ydw, dwi wedi dysgu gwers. Peidio â gadael i'r athrawon weld fy llunia byth eto.)

Mae Dad yn gwybod am hyn YN BAROD cyn i mi gyrraedd adra, gan fod Mrs Williams wedi'i ffonio. Mae gwaeth i ddod - mae Delia'n gwybod hefyd, gan mai hi atebodd y ffôn.

GRÊT - fel tasa'r llythyr ddim yn ddigon. Basa'n waeth i Mrs Williams fod wedi cyhoeddi'r peth efo awyren Twm yn cael ei gadw i mewn! neu falŵn fawr TWM yn cael ei GADW I MEWN fel bod pawb yn y dre yn cael gwybod ... (Sblych!)

Mae Dad yn deud wrth Mam a rŵan dydi Derec ddim yn cael dod draw heno am ymarfer band. AC mae hi'n rhoi joban ychwanegol i mi.

"Sgubo llawr y gegin neu mynd â'r binia allan" (rheiny'n drewi). Diolch yn fawr!

Mae Delia WRTH EI BODD. Mae'n mynnu deud  "O, bechod" wrtha i mewn hen lais babïadd, gwirion sy'n fy neud i'n lloerig. (Ond does wiw i mi ddangos hynny neu mi fydd hi'n deud y geiria DRWY'R nos gyfan, a thrwy fory a'r diwrnod wedyn hefyd.)

Mae Dad yn mynnu cael un o'i sgyrsiau bach efo fi,  sgwrs gan ddeud mai rhyw greadur tebyg iddo fo y bydda i os nad ydw i'n gweithio'n galed yn yr ysgol. Sy ddim yn rhy ddrwg, dwi'n meddwl, gan fod gynno fo swydd reit braf.

Mae gynno fo swyddfa (wel, sied  yng ngwaelod yr ardd) lle mae o'n gweithio ar ei gyfrifiadur yn dylunio petha. Weithia, mae o'n cael mynd i swyddfeydd pobol i weithio.

Mae Mam yn hoffi hynna gan ei fod o'n gorfod gwisgo'n daclus ac mae o'n ennill mwy o bres.

Ond mae'n well gen i pan fydd Dad yn gweithio gartra, achos mae gynno fo storfa slei o wafferi caramel  Bisgedi yn ei sied. (Dydi Mam yn gwybod dim am hyn).

Dyma fi felly'n sgubo llawr y gegin, a phwy sy'n cyrraedd ond Nain, wedi galw i gael benthyg llyfr coginio.

(

dyna be dwi'n galw Nain a Taid gan eu bod nhw'n hen fel pechod.)

"Ond dach chi byth yn defnyddio llyfra coginio!" medda Mam, wedi'i synnu.

"Dwi am wahodd y teulu cyfan draw am ginio," medda Nain.

"Wir?"

(O diar – dydi hyn ddim yn newyddion da ☹ o gwbwl. Gadewch i mi egluro ...)

Wiiiiiiii!
BOB
RHYBUDD!
Ffosiliaid

Dydi Myfi a Bob – Nain a Taid – ddim fel neiniau a theidiau eraill.

Yn enwedig efo bwyd.

Maen nhw'n hoffi arbrofi a chwarae efo bwydydd sy ddim yn mynd efo'i gilydd.

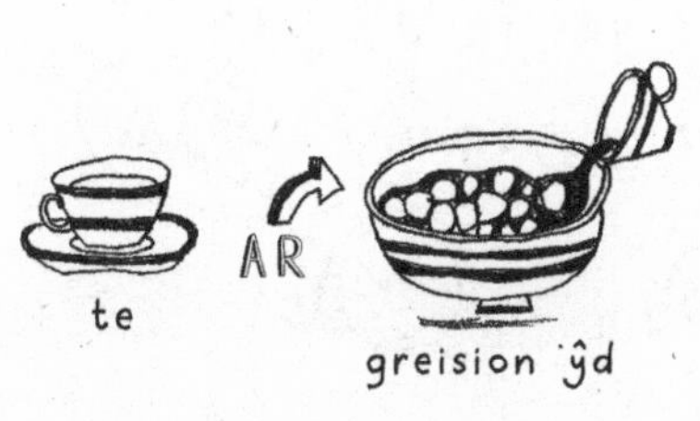

(arbed amser, meddan nhw)

(Mwy am hyn eto.)

Hefyd, mae Nain yn WARTHUS am goginio. Mae Mam yn ei llwytho hi efo llyfra coginio, yn y gobaith y bydd hi un diwrnod yn dilyn rysáit go gall.

Dal i sgubo ydw i ac yn trio gneud i Nain deimlo drosta i drwy wisgo fy

"wyneb trist".  Mi ga i ychydig o bres poced ganddi hi

(mae hi'n gneud hynny weithia).

Ond yna mae **M**am yn deud wrth Nain pam dwi'n sgubo llawr y gegin.

O, diar...

Llun powld!

("Ei gadw i mewn ... bla bla ... darlun ... bla bla ... mwstásh ... bla bla.")

Dyma hi *rŵan* isio i mi fynd i'r siop i brynu **Llefrith!** (un job ar ôl y llall) "er mwyn i Nain gael panad".

Ond drwy lwc mae Nain yn rhoi pres ychwanegol i mi brynu trêt i mi fy hun.

Yn y siop, triaf benderfynu sut i wario fy mhres poced (da-da? wafferi caramel?), ond dyma fi'n gweld ⊙ ⊙ y copi diweddara o

ROC NAWR

Ac yno ar y clawr mae'r band gora un yn y byd. **3 DIWD**

Mae'n RHAID i mi ei brynu! Ac mae digon o bres ar ôl am ddau stici gym hefyd.

HOLLOL WYCH!

Mae Mam yn gofyn,

(Dwi'n cofio'n sydyn pam es i'r siop, a chuddiaf fy nghopi o **ROC NAWR**.)

"Doedd 'na ddim ar ôl," medda fi.

(*FFIW!* Dyna be ydi meddwl yn gyflym ... rhaid deud wrth Derec am y **3 DIWD**.)

Yn lle 'i phanad, mae Nain yn cael dŵr poeth efo sleisan o foronen, sy'n hurt bost, hyd yn oed iddi hi.

Dwi newydd ddarllen bob gair o'r cyfweliad efo'r **3 DIWD**. Ac yn methu credu eu bod nhw am gael cyngerdd yn *EIN* **TRE NI**.

Ar y cyfrifiadur, felly, i wrando ar eu caneuon newydd ac i weld lle arall maen nhw'n chwarae.*

Mae hyn yn ANHYGOEL. Mae Derec ar-lein ac wedi gwirioni gymaint â fi.

3Diwd 3Diwd 3Diwd!
WWWWWWW-HWWWWWWW!!

Wedi cyffroi'n lân, Diwdyn!
Dwi AM fod yno!

A FI ... BRIL-I-ANT! Ga i ROC NAWR ar d'ôl di?
Tyrd â fo i'r ysgol, ia?

Deuda wrth bawb am 3 DIWD.
Dad yn galw, amsar bwyd 'di llosgi.

Byta fo'n gyflym
– "fast food" – LOL!

Ha! Ha! Rho fo i Delia – dydi hi ddim
yn gweld efo sbecs haul. FFRÎC!

*www.3diwd.com

Newyddion Da am y cyngerdd. Newyddion Drwg – mae Derec a finna'n rhy ifanc i fynd yno ar ein penna'n hunain. Mae'n siŵr y bydd Dad yn mynnu dod hefyd.

Bydd hynna'n iawn os wneith o ADDO peidio:

1. Canu

2. Dawnsio

3. Gwisgo dillad codi-cywilydd.

Fel hyn!

Fydd hyn ddim yn hawdd gan ei fod o'n un am neud y tri pheth yma (weithia ar yr un pryd).

Ry'n ni yma o HY-Y-YD!

(Dwi'n darllen mwy ar ROC NAWR.)

caederwen

Ia-hw-w-w!

Chysgais i fawr neithiwr.

Yr unig beth ar fy meddwl ydi fod

yn dod i'r dre. ARDDERCHOG.

Mae hyd yn oed Delia wedi cynhyrfu.
(Am wn i - efo hi, mae'n anodd deud.)

Dim ots gen i, cyn belled na fydd hi'n sefyll
yn agos ata i.

Dydi'r tocynna **DDIM** yn rhad.

Os ydw i am gael Dad i dalu amdanyn nhw, yna bydd raid i mi fod yn hogyn da drwy'r amser.

Anodd - ond yn werth o yn y pen draw.

Dwi yn y stafell molchi'n darllen fy nghopi o ROC NAWR pan ddaw Delia i WALDIO'r drws o'r tu allan. Mae hi'n mynd yn fwy a mwy blin wrth i mi gymryd mwy a mwy o amser. Mae'n cymryd OES i mi lanhau fy nannedd.

Wrth gwrs, dwi'n hwyr i'r ysgol eto fyth (ond mae'n werth o). Dim amser i frwsio 'ngwallt, mond cipio fy nillad oddi ar y llawr (maen nhw mewn un cwlwm blêr - ond dim ots).

Yna dwi'n stwffio hynny fedra i o dost i mewn i 'ngheg a chymryd afal i'w fwyta ar y daith (sy'n dipyn o gamp ar gefn beic).

Cael a chael i gyrraedd dosbarth Mr Ffowc, gyda 30 eiliad yn weddill.

Fi'n 'glanhau 'nannedd'!

Dwi'n teimlo'n reit falch ohona i fy hun, felly dyma fi'n gwenu fel giât ar Efa - ond am ryw reswm mae hi'n sbio arna i fel taswn i'n CODI PWYS arni hi.

Pam?

Yna medda Mr Ffowc:

"Dwi'n gobeithio'ch bod chi i gyd yn cofio eich bod yn cael tynnu'ch llun heddiw."

NA! NA! NA!

(Dwi wedi anghofio.)

Mae Carwyn dydw-i'n-glyfar yn amlwg wedi cofio. Mae o'n sgleinio i gyd fel tasa fo'n newydd sbon. Ych.

Dwi'n edrych yn flerach nag arfer gan mod i wedi rhuthro ben bora. O wel, dim ots. Pa mor ofnadwy gall llun ysgol fod, yndê?

Mae pawb yn y dosbarth yn sefyll mewn rhes yn y neuadd. Fi sy nesa ar ôl Norman Watson, ac mae hwnnw'n aflonydd fel cnonyn. (Dwi'n gweddïo nad ydi o wedi bod yn bwyta da-da.)

Mae'r ffotograffydd yn deud wrth Norman am "beidio symud cymaint."

(O, diar - mae o wedi bwyta da-da, saff i chi.)

O'r diwedd, mae Norman yn eistedd yn ddigon llonydd i gael tynnu un llun.

Clywaf y ffotograffydd yn sibrwd,

"Mae heddiw am fod yn ddiwrnod hir iawn."

Fy nhro i rŵan.

Mae Ffion Morris (hogan glyfar iawn arall) ac Efa a gweddill y dosbarth i gyd yn fy ngwylio i.

SYNIAD

Caf syniad. Be am i mi edrych yn GAS ac yn BWDLYD fel y llunia rheiny o'r 3 DIWD yn ROC NAWR.

BRILIANT!

Ond dydi hyn ddim yn plesio'r ffotograffydd ac mae o'n deud wrtha i: "GWENA, WIR!" Felly dyma fynd ati i drio gwenu (fymryn) ... ond wedyn mae'n deud YN UCHEL IAWN:

"O diar, mae gen ti rywbeth AFIACH rhwng dy ddannedd."

(AM GYWILYDD!)

Daw ata i a rhoi drych i mi. (Oes bosib i betha fynd yn waeth?)

"Dyma grib i ti neud rhywbeth efo'r gwallt blêr 'na."

Rŵan mae PAWB yn edrych arna i.

(Ydi, *mae'n* bosib i betha fynd yn waeth.)

Cywilydd mawr

Mae gen i friwsion tost o gwmpas fy ngheg a darna o groen afal rhwng fy nannedd. (Pam na ddeudodd Efa wrtha i?) A rŵan dwi'n goch fel tomato hefyd.

Llun ysgol cŵl? Hyh! Bydd hwn yn un ofnadwy. ☹

Ar ôl i'r llun gael ei dynnu, dwi'n rhuthro allan o'r neuadd. Dwi wedi gneud ffŵl ohona fi fy hun o flaen

PAWB yn y dosbarth.

Bydd yn rhaid i mi guddio'r llun ysgol hwn o olwg pawb am weddill fy mywyd. Yn enwedig Mam. Mae hi'n hoffi anfon fy llunia ysgol at bob perthynas drwy'r

BYD I GYD.

Mae gan gyfnitherod pell ym Mongolia lunia ysgol ohona i ar eu walia.

AMSER CHWARAE

Dwi'n edrych am Derec ym mhobman ond yn methu cael hyd iddo. Mae o yma'n rhywle – mae ei feic yn y sied. Tybed oedd ei lun ysgol o cyn waethed â f'un i? (Amhosib.)

Gofynnaf i Cledwyn "Caled" Caleb (y bachgen TALAF yn yr ysgol) os ydi o'n gallu'i weld o.

Mae Caled yn pwyntio at hogyn ar y ffrâm ddringo. Mae'n debyg i Derec, ond na - mae hwn wedi cau ei fotwm ucha, ac mae'i wallt o wedi'i frwsio'n afiach o daclus.

GWALLT TACLUS

"Mam oedd yn mynnu," medda Derec. "Ar gyfer y llun ysgol." (Cywilydd.)

Ond wrth iddo fo hongian ben i lawr ar y ffrâm, mae gwallt Derec yn syrthio'n ôl i'w le. Eitha peth hefyd achos ni ddylai 'run aelod o'r **CŴN SOMBI** fynd o gwmpas efo gwallt taclus fel'na.

Mae gan Derec a finna betha pwysig i'w trafod ...

1. 3 DIWD ydi'r band GORAU erioed.

2. Mae'n RHAID i ni fynd i'w gweld nhw.

3. Mae'n rhaid i'r CŴN SOMBI ymarfer mwy er mwyn iddyn nhw fod y band GORAU ERIOED.

4. BISGEDI – pa rai sy orau, y hobnobs siocled neu'r wafferi caramel?

5. Pa fisgedi i'w bwyta mewn ymarferion band.

siocled neu garamel?

WAFFERI CARAMEL

Pwy sy'n poeni am ryw lunia ysgol gwirion?

Dŵdls Bisgedi

Bisgeden Fawr

WAFFER

WAFFER

Y FISGEDEN ORA

AAA!

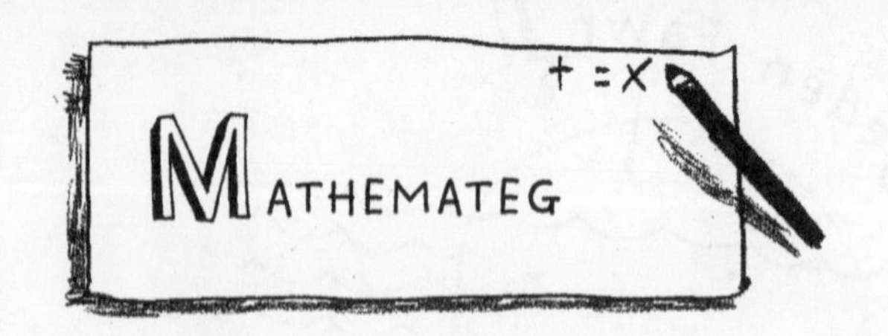

MATHEMATEG

Mae Mr Ffowc yn dosbarthu taflenni gwaith mathemateg.
Ar y tu allan dwi'n edrych fel tasa gen i ddiddordeb mawr yn symiau Mr Ffowc.
Ond y tu mewn dwi'n ail-fyw'r cywilydd a deimlais wrth gael tynnu fy llun ysgol, drosodd a throsodd a throsodd.

Llun Ysgol ERCHYLL

Hen dro nad ydi hi'n amser mynd adra rŵan.
I godi 'nghalon, dyma fi'n tynnu mwy o lunia o syniada gwahanol ar gyfer y band.

Dwi'n gofalu gneud ambell i swm hefyd, er mwyn edrych fel taswn i'n gweithio ar yr atebion.

Mae Carwyn yn trio bob ffordd i edrych ⊙⊙ dros f'ysgwydd er mwyn gweld be'n union dwi'n ei neud.

CER O'MA, CARWYN...

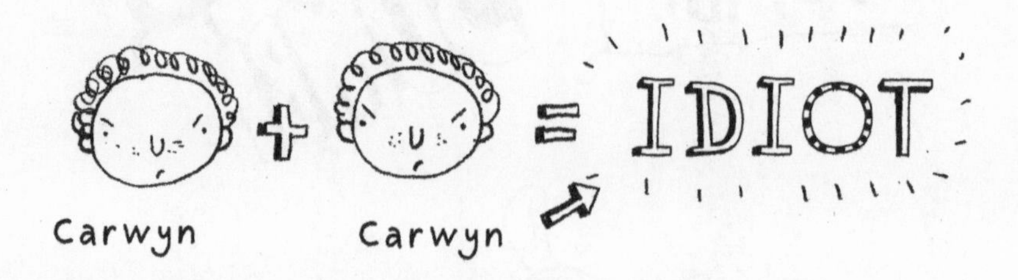

Wps, mae Mr Ffowc yn sbio arna i rŵan, felly dyma osod fy mraich reit dros y llunia gan fynd i'r afael efo rhagor o symiau.

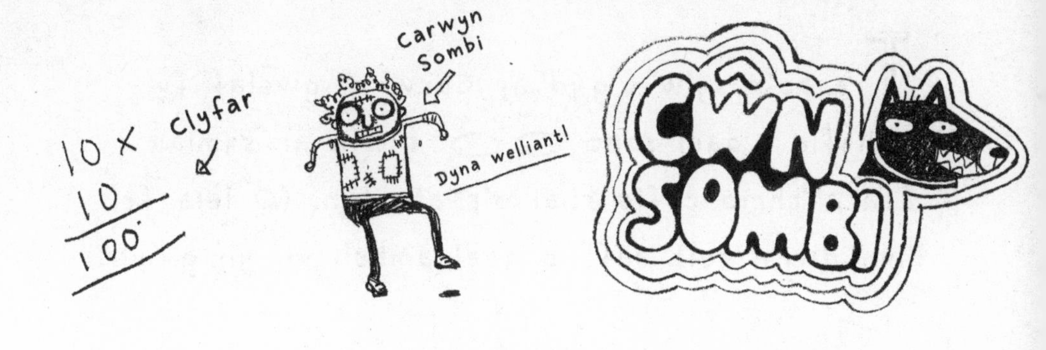

Mae Carwyn yn PWYSO 'nôl yn ei gadair, er mwyn trio gweld dros fy mraich. Dwi'n meddwl ei fod o'n gallu gweld fy llunia, felly dyma fi'n troi 'nghefn arno fo. A dyma fo'n pwyso *YMLAEN*. Dwi inna felly'n PWYSO 'nôl ac mae o'n rhoi ei ben ar y bwrdd fel tasa fo'n trio gweld o dan fy mraich i. Ha!

"Carwyn – rho'r gorau i drio sbecian ar waith Twm a chanolbwyntia ar dy waith dy hun!"

Ia, Carwyn. DIM twyllo. Dyna wers iddo fo.

Tra bo'r sylw i gyd ar Carwyn, gwelaf fy nghyfle i gael sbec sydyn ar symiau Efa a thrio cofio rhai o'r atebion. (O leia fel hyn dwi'n reit saff o gael ambell un yn gywir.)

Ymlaen â fi wedyn efo'r llunia. (Am eu dangos nhw i Derec wedyn.) Mae'r wers mathemateg yma'n un reit dda wedi'r cwbwl.

HWRÊ!

MR PREIS ydi prifathro Ysgol Caederwen. Mae 'Syr Preis' yn hoffi rhoi "SYRPREIS" drwy sbecian ar be sy'n digwydd yn y dosbarth.

Heddiw, mae o wedi penderfynu deud helô wrth ddosbarth **5C** (ni). Diolch byth, mae gen i fathemateg go gall o 'mlaen (diolch i Efa).

"Helô, Dosbarth 5C."

"Helô, Mr Preis."

Ymlaen â fo wedyn efo'r un hen sgwrs brifathrawol.

Tra 'i fod o wrthi'n malu awyr, dyma ychydig o FFEITHIAU am Mr Preis.

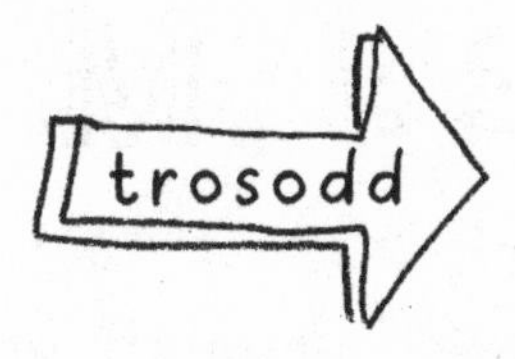

1. Mae ganddo wyneb COCH iawn, sy'n troi'n gochach pan fydd o'n flin.

2. Mae Mr Preis yn troi'n flin am y peth lleia.

Dyma'r **PREIS-O-MITAR** yn dangos y gwahanol fathau o goch sy'n lliwio wyneb Mr Preis.

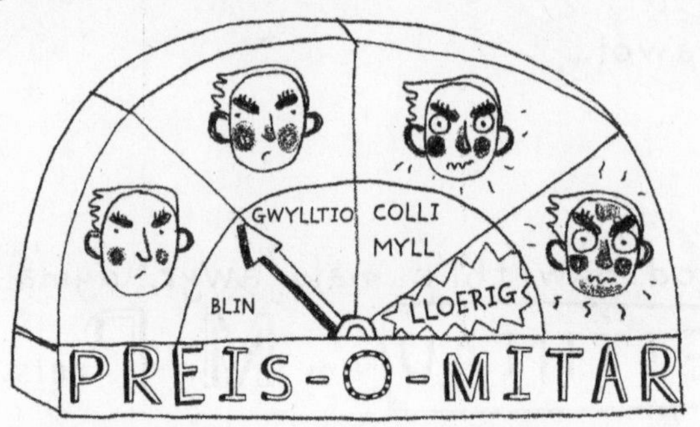

3. **M**ae aeliau Mr Preis yn edrych fel dwy Siani **FLEWOG** yn cropian ar hyd ei wyneb.

Dal i draethu mae Mr Preis, a dyma fy stumog i'n dechra chwyrnu'n hynod o UCHEL (mae bron yn amser cinio). Basach chi'n meddwl y basa'r dyn yn ei glywed ac yn cau'i geg. Ond na.

Y tro nesa i'm stumog chwyrnu, dwi'n smalio mai Carwyn sy wrthi drwy rythu arno fo.

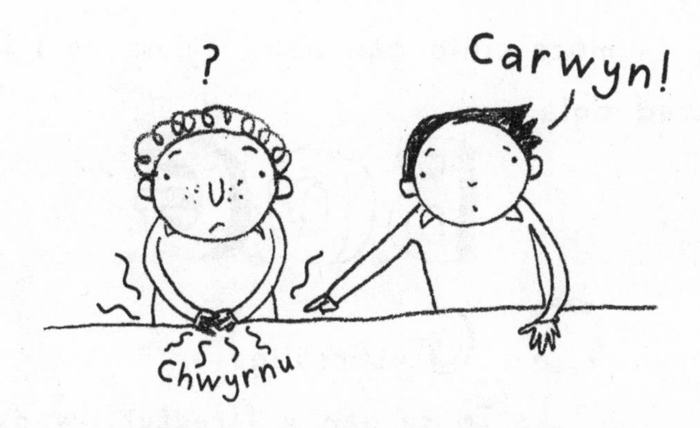

Mae'r gloch amser cinio'n canu ond mae Mr Preis yn dal i falu awyr.

"Mi wna i adael i chi fynd am eich cinio rŵan," meddai.

(HEN BRYD.)

Mae 'na ffordd o frysio i'r ffreutur heb edrych fel tasach chi'n *GWTHIO* pobol o'ch ffordd. Y tric ydi cerdded yn gyflym iawn.

Cerdded cyflym

Agoraf fy mocs cinio gan neud fy ngora i beidio â chlywed ogla'r

B.O.G.

(Bwyd Od Gythreulig) sy gan y ffreutur i'w gynnig.

Ar ddyddiau Llun, Mawrth a Mercher byddaf yn dod â fy nghinio fy hun. Ar ddydd Iau a dydd Gwener byddaf yn cymryd cinio ysgol.

Mae hyn oherwydd bod EFA PARRI hefyd yn cael cinio ysgol ar ddydd Iau - ac ar ddydd Gwener, mae 'na SGLODION.

Mae Derec eisoes yn bwyta wrth y bwrdd. Eisteddaf wrth ei ochor a daw Norman Watson i eistedd wrth f'ochor i. Pan dwi'n agor fy mocs bwyd, gwelaf fod 'na nodyn oddi wrth Nain y tu mewn iddo.

(O Na! Wnes i anghofio. Mae Nain yn hoffi paratoi fy mocs bwyd pan fydd hi'n galw acw. A do'n i ddim yno i'w rhwystro hi.)

La!

La!

La!

Dwi ond yn gweddïo nad ydi hi wedi coginio **unrhyw beth** od i mi.

Y tu mewn i'r bocs bwyd, gwelaf  rywbeth sy'n edrych fel pizza.
Pizza ydi o.
(Iawn hyd yma.)

Pizza siâp wyneb.
Dwi'n meddwl ...

Fy *wyneb i* ... help.

Ar y pizza mae 'na

gaws (Iawn)

tomatos (Iawn)

olewydd (SBLYCH).

A rhywbeth arall na ddylai ar unrhyw gyfri **FYTH** fod ar gyfyl unrhyw bizza ...

byth ...

(Be oedd yn bod ar y ddynes?)

Mae 'na fanana ar y pizza.

Dyma 'i chwipio hi o'na ar wib cyn i neb weld bod gen i fanana ar fy mhizza a dechra meddwl fy mod i'n od.

Rhy hwyr!

Pwy sy'n digwydd cerdded heibio ond Efa a Ffion, ac mae'r ddwy'n tynnu stumiau "ti'n-codi-pwys" cyn eistedd wrth fwrdd arall.

Yna mae Norman Watson yn fy mhwnio gan ddeud,

"Sgen ti fanana ar dy bizza?"

"Falla ..." medda fi.

"IyM! Ga i hi, os nad wyt ti'i hisio hi?"

Dwi'n deud dim byd, mond gadael i Norman fwyta fy manana. Mae Derec yn sibrwd, "Mae hynna'n sblych!" yn fy nghlust. Ond mae Norman i'w weld yn ddigon hapus, felly dwi'n cau 'ngheg. Waeth i mi fwyta gweddill y pizza ddim. (Mae'n blasu'n fanana-aidd mewn darna.)

Ond mae sawl syrpréis arall gan Nain yn llechu yn fy mocs bwyd:

Sudd ciwcymbar mewn tun.

Bisgedi lafant a thatws.

Ac un lemon. (Pam?)

Mae bwyd callach gan Derec i'w ginio, ac mae o'n ei rannu efo mi. (Dyna pam ei fod o'n fêt gora i mi.)

Mêt gora

Rydan ni ar fin mynd allan i chwarae pan fo Mrs Mwmbl (dyna'i henw iawn hi) yn cyhoeddi rhywbeth dros y tanoi. Does neb byth yn gallu deall be mae hon yn ei ddeud, felly mae angen gwrando'n astud.

Ai Twm Clwyd ddeudodd hi, i weld
Mrs Williams?... Ia, hefyd.
Anghofiais am gael fy nghadw i mewn.

SBLYCH.

Dwi'n gorfod helpu Mrs Williams i hongian
y llunia rheiny dynnon ni efo hi.
(Nid yr un wnes i ohoni, wrth gwrs.)

Pan mae hi'n troi ei chefn, dyma fi'n ychwanegu
un neu ddau o betha i ddarlun Carwyn.

Mae'n edrych yn well o lawer, dwi'n credu.

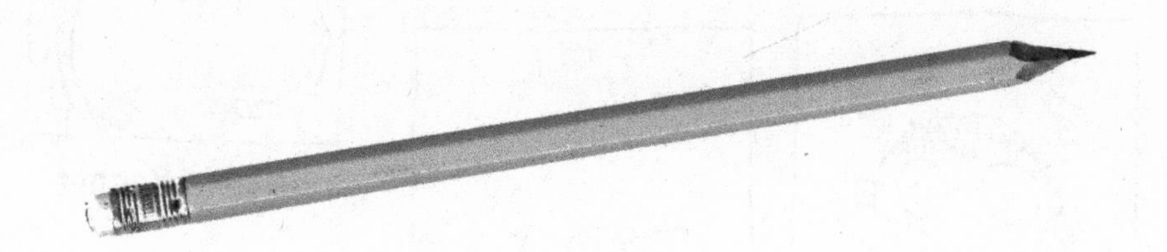

HUNAN DDARLUNIAU DOSBARTH 5C

Gwyn Gwyn

Siriol Puw

Cledwyn Caleb

Jenni Jones

Norman Watson

Briallen Bennet

Marc Clump

Angharad Tully Jones

Efa Parri

Trefor Bowen

Bryn Siencyn

Lemiwel Lewis

Twm Clwyd

Ffion Morris

Indrani Hindle

Carwyn Campbell

O NA, mae **Mr Ffowc** wedi bod yn sbio drwy fy llyfr!

Twm,

Rwy'n siŵr fod CŴN SOMBI yn fand ardderchog. Ond dylet ti ganolbwyntio ar dy FATHEMATEG o hyn ymlaen. (Gyda llaw, hwn ydi'r logo rwy'n ei hoffi fwyaf.)

Mr Ffowc

Rhaid i mi drio fy ngora glas i ganolbwyntio yn y gwersi. Does wiw i mi fynd i fwy o helynt eto. Yn enwedig os dwi isio i Dad dalu am y tocynna **3 DIWD**.

Dwi'n siŵr y bydd Mam a Dad yn gneud yn fawr o hyn i fy nghael i neud pob matha o betha dwi'n casáu gneud fel:

"Bwyta dy lysia i gyd ... os wyt ti **isio** tocynna **3 DIWD**."

"Taclusa dy stafell – os wyt ti isio tocynna **3 DIWD**."

"Gad i dy chwaer ddefnyddio'r stafell molchi o dy flaen di ... os wyt ti isio tocynna **3 DIWD**."

Dwi'n gallu'u clywed nhw'n barod.

Na, dydi hyn ddim am fod yn hawdd.

Dwi'n trio ymddwyn yn well nag arfer yng ngwersi Mr Ffowc.

Gan hyd yn oed gynnig dosbarthu'r ffurflenni ar gyfer trip yr ysgol.

Ceisia Carwyn gipio'i ffurflen o oddi arna i'n syth bìn.

"Bihafia!" medda fi wrtho fo, a gneud iddo fo ddisgwyl tan y diwedd. A chael hwyl yn gneud iddo fo estyn am ei ffurflen droeon cyn i Mr Ffowc syllu arna i fel athro ARSWYDUS.

Mae'r trip yn edrych fel un go lew, a deud y gwir.

Ymweliad Blwyddyn 5 â'r Amgueddfa Genedlaethol i weld arddangosfa'r **Hen Aifft a'r mymis**.

Annwyl Riant/Warchodydd

Eleni, byddwn yn astudio'r Eifftwyr ac fe hoffem fynd â'r dosbarthiadau i'r Amgueddfa Genedlaethol fel rhan o'r gwaith prosiect.

Bydd yr ymweliad yn para am ddiwrnod cyfan a bydd angen pecynnau bwyd ar y plant. Byddwn yn teithio ar fws a bydd angen cynorthwywyr arnom os oes unrhyw rai ohonoch chi ar gael.

Byddwch mor garedig â llenwi'r ffurflen isod, sy'n rhoi caniatâd i'ch plentyn ddod ar y trip.

Llawer o ddiolch,
Mr Ffowc

Dychweler y darn isod i'r ysgol cyn gynted â phosib.

Enw'r plentyn Twm Clwyd Dosbarth 5C

Rwy'n caniatáu i'm plentyn fynd i'r Amgueddfa Genedlaethol

YDW/NAC YDW

Llofnod Rita Clwyd (joban dda!) Print Rita Clwyd

Oes unrhyw alergeddau gan eich plentyn? OES
Os oes, beth ydyn nhw? Peidiwch â rhoi llysiau i Twm.
Ydy eich plentyn ar unrhyw feddyginiaeth? Os yw, pa fath?
Ydi. Da-da annwyd. Neu fe wneith unrhyw dda-da y tro'n tshampion.
Ydych chi ar gael i helpu ar y trip? NA NA NA
Enw cyswllt
Rhif cyswllt

(Dyna ni.)

Heddiw, mae Mr Ffowc yn gofyn i ni ddarllen ein storïau "Ein Gwyliau Ni" i'r dosbarth. Mae hyn yn tshampion efo fi, achos mi ges i

seren am fy stori i.

Bydd yn gyfle gwych i neud argraff dda ar Efa, gobeithio.

Norman Watson sy'n darllen yn gyntaf.

Aeth o i DISNEYLAND.
Am lwcus! (Ond chafodd o ddim pump seren fel ges i. Ha!)

Cafodd Carwyn Campbell ei hel i ffwrdd i wersyll haf am y GWYLIA CYFAN. Mae'n rhaid ei fod o'n mynd ar nerfa ei rieni hefyd, fel pawb arall. (Baswn i'n ei hel o i ffwrdd am y flwyddyn gyfan taswn i'n cael.)

Dydi stori Jenni Jones am "Y gragen fôr ddiddorol" ddim yn ddiddorol o gwbwl.

Mae'r wers yma'n dechra troi'n ddiflas cyn i Marc Clwmp sefyll a darllen "FY NEIDR NEWYDD SBON", ac mae'n cipio fy sylw'n syth.

Cawn glywed am y llygod sy ganddo fo yn y rhewgell, sef bwyd y neidr.

A sut yr aeth o i brynu'r neidr, lle mae o'n byw, be ydi enw'r neidr (Ned – ddim yn wreiddiol iawn). Ond mae hi'n stori wylia dda iawn.

A'r darn GORA ohoni ydi'r diwedd, wrth iddo fo agor ei ddesg a thynnu ohoni ....

EI
NEIDR
NEWYDD

Dyma Ned!
Ned!

Bril! Ond dydi Mr Ffowc ddim yn meddwl hynny. Na hanner y dosbarth chwaith, wrth iddyn nhw redeg allan dan

SGRECHIAN.

Mae Mr Ffowc yn deud wrth Marc am roi ei neidr yn y bocs. Mae'r swyddfa'n ffonio'i fam, ac mae hi'n gorfod dod draw i nôl y ddau ohonyn nhw. Sy'n hen dro, gan fy mod i'n hoff iawn o nadroedd a ches i mo'r cyfle i gael golwg iawn ar Ned. Cawn nodyn bob un i fynd adra efo ni ar ddiwedd y pnawn.

Annwyl Riant/Warchodydd

Hoffwn atgoffa pob plentyn a'i rieni na chaniateir i neb ddod ag ANIFEILIAID ANWES o unrhyw fath i'r ysgol.

Ar gyfer y cartref mae anifeiliaid anwes, nid yr ysgol. Yn enwedig rhai sy'n debygol o godi ofn ar bobl (fel nadroedd).
Diolch

Mr Preis
Prifathro

A sôn am anifeiliaid anwes, mae Derec am gael ci newydd. Alla i ddim disgwl! Mae gan Delia alergedd i gŵn, felly does wiw i mi gael un. Ond fe geith Derec ddod â'i gi acw **UNRHYW** dro, oherwydd:

1. Dwi wrth fy modd efo cŵn.

2. Bydd raid i Delia aros yn ei stafell neu bydd raid iddi fynd allan. Un ffordd neu'r llall, fydd hi ddim yma i fynd ar fy nerfa.

Perffaith!

Mae Derec yn anfon llun o'r ci ata i ...

Dros y penwythnos mae'r teulu i gyd yn cael cinio yn nhŷ'r FFOSILIAID.

Mae Mam yn poeni ynglŷn â be goblyn gawn ni i'w fwyta yno, yn enwedig ar ôl i mi sôn am fy mhizza banana.

Mae Dad yn poeni gan fydd ei frawd o (fy ewythr Cefin) a'i deulu yno. Mae Yncl Cefin yn swnio fel dyn go glyfar, ond yn ôl Dad, tipyn o "ben bach" ydi o.

Mae Anti Alis wastad yn chwerthin ar jôcs Yncl Cefin, hyd yn oed y rhai gwael (hynny ydi, y rhan fwya ohonyn nhw).

Be dach chi'n galw dyn heb wallt ... Ffranc fy mrawd!

Mae Delia'n biwis eto am nad oes arni hi ddim isio mynd. "Mae cariad gan Delia, mae cariad gan Delia," medda fi, sy'n ei gneud hi'n **WAETH** o lawer.

Ond mae'n RHAID iddi ddod, medda Mam a Dad.

Mae rhyw dderyn bach yn deud wrtha i na fydd y cinio 'ma'n fawr o hwyl.

Yn Ffodus, mae'r Ffosiliaid mewn hwyliau da IAWN ac yn falch o weld pawb, sy'n andros o help.

Mae fy nau gefnder - efeilliaid - yno eisoes (ac, fel arfer, yn bwyta fel ceffylau). Maen nhw'n dalach na Caled hyd yn oed. "**Haia**" medda fi, ond dydyn nhw ddim yn siarad ryw lawer, dim ond codi llaw arna i.

Mae Mam yn holi be sy 'na i ginio heddiw, ac mae pawb yn gwrando'n nerfus.

Dyma'r fwydlen, medda Nain:

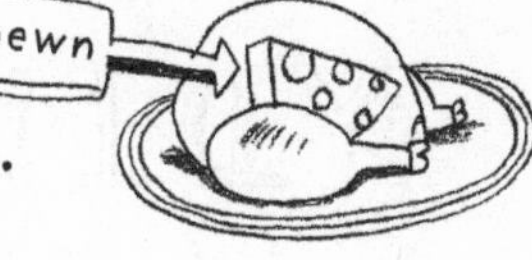

Cyw iâr wedi'i stwffio â chaws.

Wyau wedi'u rhostio?

Pys ar ffyn.

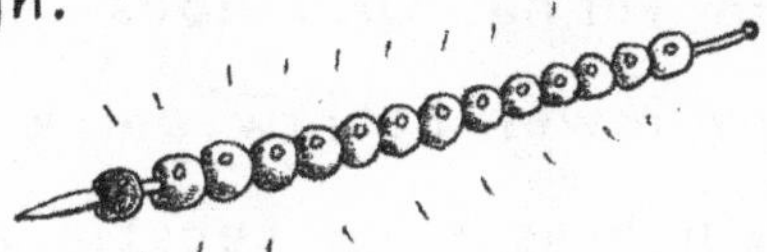

Gobeithio'i fod o'n blasu'n well na mae o'n swnio.

Rydan ni i gyd yn eistedd wrth y bwrdd wrth i Yncl Cefin ofyn i Dad os ydi o wedi colli mwy o wallt, gan neud i Anti Alis chwerthin.

Dydi Dad ddim i'w weld yn rhy hapus.

Mae Nain yn camu i'r stafell ac yn gofyn,

"Ydi bob dim yn **iawn?**"

"**YDI!**" medda pawb.

"Blasus iawn! Mmmmm!"

A phetha clên fel'na. Ond does 'na neb i'w weld yn bwyta ryw lawer heblaw am y ddau gefnder. Ac mae Delia'n brysur yn tecstio rhywun, ei ffôn ar ei glin o dan y bwrdd.

Yna mae Yncl Cefin yn dechra malu awyr am eu gwylia yng Ngwlad Groeg –

"Tair wythnos

SYFRDANOL"

Felly dyma fi'n deud am ein deuddydd ofnadwy ni'n gwersylla ac am y glaw ac fel y cafodd y babell ei golchi i ffwrdd am i Dad fod mor WIRION â'i chodi'n rhy agos i'r nant ...

Mae Anti Alis ac Yncl Cefin i'w gweld yn mwynhau'r stori.

Ha Ha! Ha Ha!

Ond mae Mam a Dad yn GWGU arna i, cystal â deud, "BYDD DDISTAW!"

Yna mae Taid yn troi'r stori drwy fy holi ynglŷn â'r band.

Dyma fi'n sôn felly am CŴN SOMBI, cyn deud wrth bawb fod y 3 DIWD am berfformio yn ein tre ni!

"Mae Dad MOR bril, mae o wedi addo prynu tocynna i ni fynd i'w gweld nhw," medda fi. (Mae Dad yn sbio arna i mewn syndod ond dydi o ddim yn deud na.)

Deallaf fod y ddau genfder hefyd yn ffans ANFERTH o'r 3 DIWD. Y tro diwetha i mi eu gweld nhw'n cynhyrfu fel hyn oedd pan enillon nhw beiriant ffynnon siocled.

Mae Yncl Cefin yn cynnig ein bod ni i gyd yn mynd yno – "noson allan i'r teulu". Does fawr o bwys gen i pwy sy'n mynd, cyn belled fod rhywun arall yno heblaw Delia. Felly dwi'n deud "GRÊT!" Ond dydi Dad ddim i'w weld yn hoffi'r syniad o gwbwl. Yn enwedig pan fo Yncl Cefin yn dechra sôn am "chwaeth gerddorol ofnadwy" Dad pan oedden nhw'n hogia ifanc.

Mae Dad ar fin deud rhywbeth wrth Yncl Cefin pan ddaw Nain i mewn efo'r ...

"PWDIN!"

Mae'n rhaid iddi egluro be ydi'r pwdin gan fod neb yn gallu dyfalu. Llwyth ANFERTH o grempogau pinc llachar, sy'n blasu'n o lew ond sy'n edrych fel darna afiach o iau heb eu coginio.

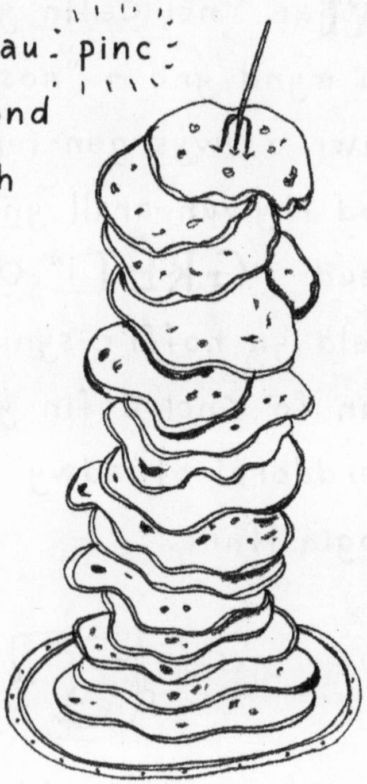

Ar y ffordd adra 'dan ni'n galw i mewn i'r siop sglodion gan fod pawb ar lwgu.

Does 'na ddim golwg rhy hapus ar Mam a Dad. Mae Delia'n flin fel tincar (dim byd newydd).

Ond dwi'n hapus IAWN, oherwydd:

1. Dwi'n bendant yn mynd i weld **3 DIWD** rŵan.

2. Mi ges i dda-da a phunt gan Nain ar fy ffordd allan.

HWRÊ! Rhaid i mi gael deud wrth Derec.

(Yr unig beth ar ôl rŵan ydi gofyn i EFA ddod i'r cyngerdd.)

Do'n i ddim yn hwyr iawn i'r ysgol heddiw. Cymerodd fwy o amser nag arfer i mi guddio sbecs haul Delia. Mond jiniys fel fi fasa'n meddwl am eu cuddio nhw mewn bag salad. Fasa Delia FYTH wedi cael hyd iddyn nhw oni bai fod Mam yn gneud brechdanau.

Diflannais o'r tŷ cyn i Delia neu Mam gael y cyfle i ddeud y drefn.

Cael a chael ydi hi i gyrraedd y dosbarth ar gyfer y cofrestru.

Mae Mr Ffowc yn edrych i fyny o'r gofrestr ac yn holi pam dwi'n hwyr. Dyma fi'n ateb drwy ddeud be fasa unrhyw berson call yn ei ddeud – sef rhoi'r bai ar fy chwaer am fy nghloi yn y stafell molchi.

Mae Mr Ffowc yn nodi'r esgus yn y gofrestr, a dyna ni.

FFIW!

Does gan **EFA PARRI** ddim diddordeb o gwbwl yn f'esgusion – mae hi'n rhy brysur yn dysgu ei

SILLAFU!

(O! NA! NID y prawf sillafu.)

Dydi hyn ddim yn ddechra da i'r diwrnod. Dwi'n dechra mynd i banig gan drio meddwl sut goblyn dwi am ddod i ben pan mae rhywbeth gwych yn digwydd. Wrth i mi sbecian ar ddesg Mr Ffowc, be sy yno, *dwi'n* meddwl, ond yr atebion i'r prawf sillafu. Mae'r papur wedi'i droi drosodd, ond mae'n hawdd darllen y geiriau wysg eu cefnau, felly i lawr â nhw ar fy mhapur cyn i neb arall sylwi.

Fel hyn.

(Prawf hawdd-pawdd fydd hwn!)

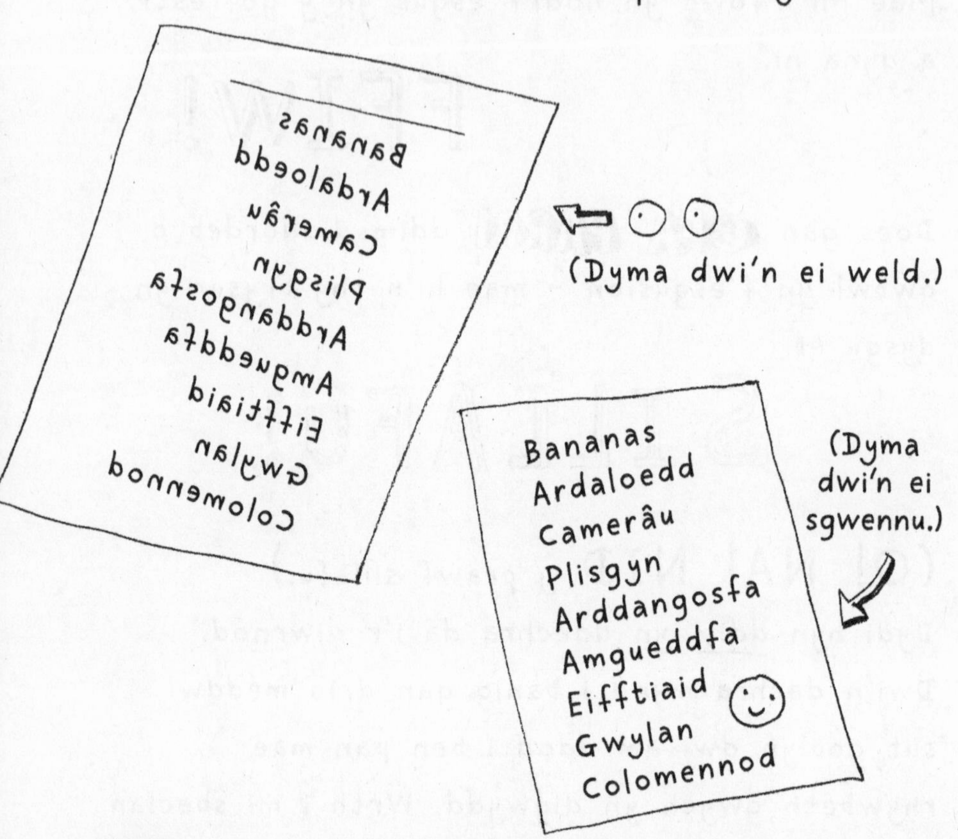

Mae Mr Ffowc yn dechrau'r prawf. Dwi'n smalio meddwl yn ofalus cyn sgwennu. Ond yn syth bìn dwi'n sylweddoli fod 'na broblem **FAWR**.

Mae'r geiriau yma'n wahanol i rai Mr Ffowc, sy'n gneud i mi feddwl fy mod wedi copïo'r rhai ar gyfer prawf yr wythnos nesa.

Dwi mewn panig llwyr, ddim yn gallu meddwl ac wedi colli'r **TRI** gair cyntaf yn barod.

TRI PEDWAR gair ... PUMP gair ...
CHWECH - SAITH - WYTH ... y prawf cyfan.
Dwi'n dal i smalio sgwennu rhag ofn i Mr Ffowc amau rhywbeth, gan obeithio'r gora.
Mond rhyw lygoden fawr o berson sy'n twyllo, ac **OS** ydi Mr Ffowc yn gweld geiriau'r prawf nesa ar fy mhapur ...

Mae'r prawf drosodd a dyma ni i gyd yn cyfnewid papura efo'r person drws nesa i ni er mwyn marcio atebion ein gilydd.
Mae Carwyn yn rhoi ei bapur i mi.
O diar, dwi amdani rŵan.

Dwi'n gorfod meddwl yn gyflym ...

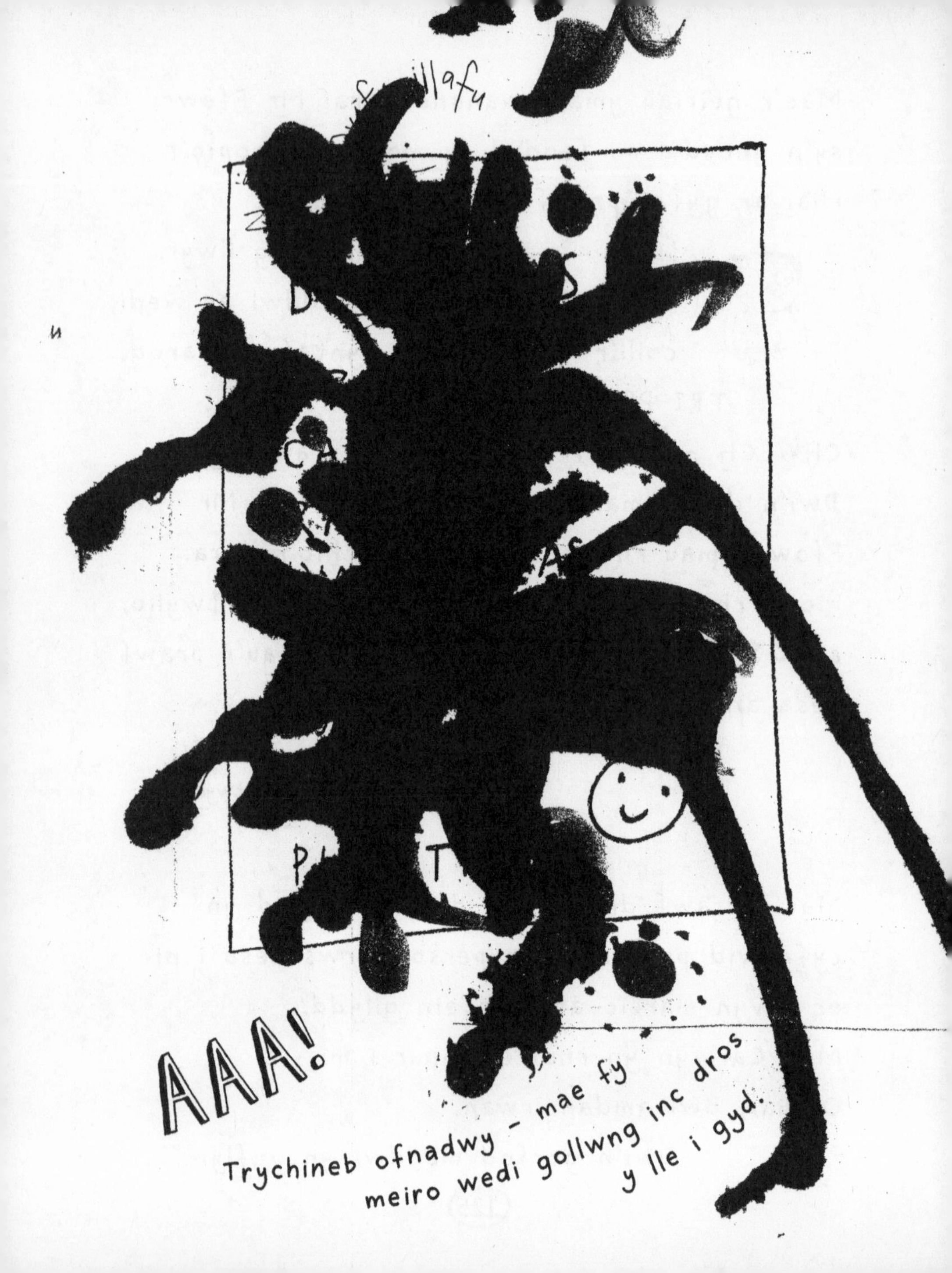
AAA!
Trychineb ofnadwy – mae fy meiro wedi gollwng inc dros y lle i gyd.

Mae Mr Ffowc yn gneud i mi lanhau'r inc ar ôl y "ddamwain". WPS!

Af ati i farcio papur prawf Carwyn. Mae o'n credu 'i fod o wedi gneud yn o lew ac yn wên o glust i glust.

Dim ond 3/8 i Carwyn.

Dydi o ddim yn gwenu rŵan.

Cafodd Efa 8/8 (mae hi mor glyfar).

"WAW!, da iawn ti, Efa," medda fi (sy'n gwylltio Carwyn). "Rwyt ti'n un dda am sillafu, yn dwyt ti?"

Ac medda Efa, "Diolch - ond fedra i ddim tynnu llunia gystal â chdi" (do, mi ddeudodd hi rywbeth neis wrtha i).

Tra bo'r lleill yn marcio'u papura, felly, dyma fi'n dangos y llunia **CŴN SOMBI** diweddara iddi gan ofyn iddi hi ddewis yr un gora. (Mae hi'n dewis yr un llun â Mr Ffowc.)

Hon ydi'r sgwrs hira i mi ei chael efo Efa erioed. Dwi'n sôn wrthi am y **3 DIWD** a'u bod nhw am chwarae yn ein tre ni.

A wyddoch chi be – mae Efa'n eu hoffi nhw hefyd, sy'n **WYCH!**

Ceisiaf feddwl am y ffordd orau o ofyn i Efa ddod i weld y **3 DIWD**, a dyma hi'n deud ei bod hi'n hoffi canu.

"Dw inna hefyd," medda fi, a medda hi,

"Wir?" a medda fi,

"**YDW**, mi allwn i ganu drwy'r dydd."

Felly, dyma hi'n awgrymu fy mod i'n ymuno â chôr yr ysgol (fel wnaeth hi), a dwi'n fy nghlywed fy hun yn deud, "Dyna syniad **grêt**, mi faswn i wrth fy **MODD**."

(**PAM? PAM? PAM** ddeudis i hynna?)

Dyna union eiriau Derec pan dwi'n deud wrtho fo,

"Dwi'n ymuno efo'r côr. Mi wneith o les i'r band i mi ymarfer canu."

"Ti'n meddwl?" Derec (Dydi Derec ddim mor siŵr.)

(Na, dw inna ddim yn siŵr chwaith. Ond dwi isio i Efa ddod efo fi i weld y 3 DIWD ac alla i ddim deud hynna wrth Derec.)

Mae 'na boster am yr ymarfer côr ar hysbysfwrdd yr ysgol. A dwi'n methu coelio bod yr ymarferion yn digwydd yn ystod AMSER CINIO! Fydda i ddim hyd yn oed yn cael colli ryw hen wers ddiflas. Mi a' i ryw unwaith neu ddwy er mwyn plesio Efa - ta-ta iddo fo wedyn.

Syniad da.

GWENWCH!
MAE'N AMSER
TYNNU LLUN
YSGOL FORE
LLUN NESAF.

Gwasanaeth Ysgol

"Gwasanaeth arbennig" heddiw.

Alla i ddim credu bod CARWYN yn cael gwobr am ei waith cartra gwylia! Dydi hyn ddim yn deg, a minna wedi cael 5 seren hefyd.

Mae Syr Preis, ein prifathro, yn cyflwyno'r gwobra o flaen yr ysgol i gyd.

Mi fydd gweld Carwyn yn bwysig i gyd yn codi pwys. I neud petha'n waeth, mae Mr Ffowc yn gofyn i Carwyn fynd â'r gofrestr yn ôl i'r swyddfa. Ew, mae o'n meddwl ei fod o'n bwysig!

(Ond mae'n rhoi cyfle i mi ychwanegu ambell i sylw i'w waith o.)

Mae Syr Preis yn sefyll o flaen yr ysgol gyfan. Wrthi'n malu awyr yn brifathrawol y mae o eto.

"Llawer o waith caled ..."

"Edrych ymlaen at ..."

Bla Bla Bla

Dwi'n eistedd y tu ôl i CALED, felly alla i ddim gweld be sy'n digwydd yn dda iawn.

Daw Mrs Nap ymlaen i arwain pawb yn yr emyn "Canaf yn y Bore".

Un arall o'r athrawon brwd yma ydi hon, ac mae hi'n *SIGLO* wrth ganu nerth ei phen.

Mae Briallen Bennet (hogan go galed) ac, wrth gwrs, Carwyn, yn cael eu gwobrwyo.

Bryn Siencyn (efo gwallt cŵl) sy wrth f'ochor i. Dywedaf wrtho am edrych yn ofalus ar Carwyn.

"Sssshhhhhhh."

Mae llygad barcud Mr Ffowc arna i rŵan..

Medda Syr Preis,

"Heddiw, mae gennym wobrau go bwysig i'w cyflwyno. A ddaw Trysor Angharad a Lyn Tegid ymlaen i dderbyn eu gwobr am y prosiect natur gwych wnaethon nhw efo'i gilydd?"

Curo dwylo uchel wrth i'r genod ddangos eu prosiect natur i bawb.

"A ddaw Briallen Bennet a Carwyn Campbell ymlaen efo'u gwaith cartref rhagorol, 'Ein Gwyliau Ni'?"

Cawn weld llyfr Briallen. Mae o'n llawn o sgwennu taclus a llunia del. Mwy o guro dwylo, yna mae Carwyn yn dangos ei waith i'r holl ysgol. Mae'n ei droi bob ffordd er mwyn i bawb fedru gweld yr hyn sy wedi'i sgwennu yn ei lyfr.

Mae pawb yn dechra chwerthin a chwerthin a chwerthin.

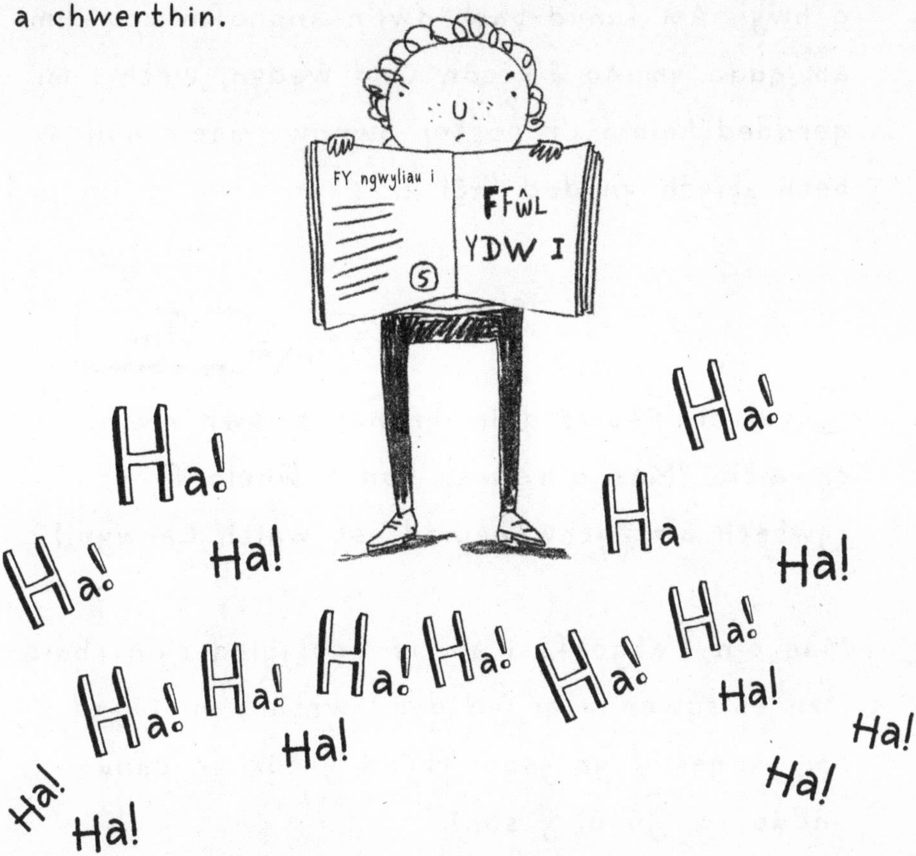

(O, dwi'n mwynhau hyn.)

Mae Carwyn yn derbyn ei dystysgrif ac yn mynd i eistedd yn reit gyflym. Mae'n methu deall pam mae pawb yn chwerthin am ei ben.

Hen dro nad ydi bob gwasanaeth yn gymaint o hwyl. Am funud bach dwi'n anghofio bob dim am addo ymuno â'r côr. Ond wedyn, wrth i mi gerdded heibio i'r poster hwnnw, mae'r holl beth sblych yn dod 'nôl ...

Help.

blin

Dydi Mr Ffowc ddim yn hapus iawn rŵan, chwaith. (Mae o'n amau bod a wnelo fi rywbeth â'r "ychwanegiad" at waith Carwyn.)

Mae o'n f'atgoffa i am yr adolygiad sy'n rhaid i mi ei sgwennu ac yn deud wrthon ni i gyd am gyngerdd yr ysgol (bydd y côr yn canu ynddo fo, yn ôl y sôn).

Ac i goroni'r cwbwl, mae o'n dosbarthu taflenni am y noson rieni.

Sut goblyn ydw i am gael ymarfer band rŵan?

Dwi'n llwyddo i gyrraedd diwedd y wers drwy ganolbwyntio'n galed IAWN ar ddau beth.

1. Be dwi am ei gael i ginio.
2. Y pry bach du sy'n gneud ei orau i setlo ar ben crwn Mr Ffowc.

Mae'n cymryd sbelan, ond mae'r pry'n llwyddo yn y diwedd.
Ac medda Mr Ffowc,

"Dwi'n falch o weld dy fod ti'n gwrando mor astud arna i, Twm."

Sy'n gneud i mi chwerthin. Ond yna mae Efa'n sôn am "ymarfer côr amser cinio heddiw".

"Grêt," medda fi. "Dwi'n barod amdani."

(Help.)

Mae Mrs Nap yn croesawu'r wynebau newydd (fi) i'r côr. Wyddwn i ddim fod CALED yn aelod (slei iawn, CALED) ac O NA... mae Carwyn yma hefyd - grêt, alla i ddim dianc oddi wrth hwn.

Ond mae Efa'n falch o 'ngweld i, felly mae hynny'n rywbeth.

Mae Mrs Nap yn fy sodro reit wrth ochor Carwyn ETO.

Mae hi'n cychwyn drwy'n cael ni i neud yr ymarferion mwya hurt i baratoi'n lleisiau. Tynnu stumiau a gneud synau gwirion ydi hyn. Wedyn dyma fynd ati i ddysgu'r caneuon ar gyfer y cyngerdd, sy'n dipyn o hwyl, credwch neu beidio. Dwi bron iawn yn dechra mwynhau fy hun.

Mae Mrs Nap yn gofyn i bawb siglo o un ochor i'r llall wrth ganu.

Rydan ni i gyd i fod yn *siglo*'r un ffordd ac efo'n gilydd. Ond mae Carwyn (yn "ddamweiniol") yn fy nharo. Felly dw inna'n ei *daro* FO.

Yna mae o'n fy nharo i ac yn sathru ar fy nhroed. Felly dyma fi'n rhoi sgwd FAWR iddo fo (i'w gael oddi ar fy nhroed).

Mae o'n fy nharo ETO felly dw inna'n *siglo* fymryn yn rhy GALED ac yn ei daro. Ac mae Carwyn yn syrthio'n bendramwnwgl i'r llawr (fel tasa fo wedi cael ei wthio gan eliffant!).

Rŵan mae'n crio ac yn nadu ar y llawr, gan weiddi,

"Twm WTHIODD FI. TWM NAETH!"

(RARGOL, mae o'n boen.)

Mae Mrs Nap yn ei helpu i godi, ac yna'n fy helpu i drwy'r drws, gan ddeud,

"Dylet **ti** wybod yn well, **Twm**. Falla **na** ddylet ti fod yn y côr wedi'r cwbwl."

A minna'n meddwl fy mod i'n gneud MOR dda.

Tynnaf lun o Carwyn, ac mae hyn yn gneud i mi deimlo'n well.

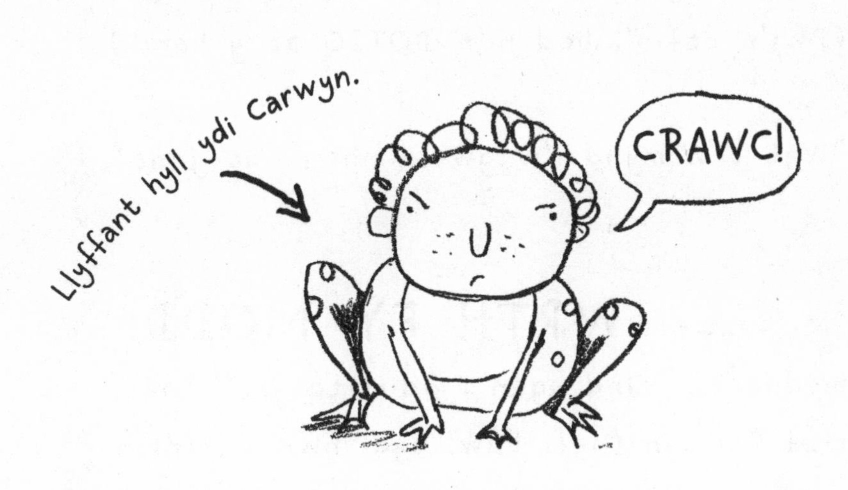

Yn ôl yn y dosbarth, mae Carwyn yn eistedd mor bell oddi wrtha i â phosib. (Eitha peth, hefyd.)

"Mae Carwyn yn rêl ffŵl," medda Efa wrtha i. Roedd hi wedi ei weld o'n fy ngwthio ac yn sathru ar 'y nhroed i. (Falla mai syniad da oedd yr ymarfer côr wedi'r cwbwl?)
Gan ei bod hi'n teimlo trueni drosta i, dyma fachu ar y cyfle i'w holi am y **3 DIWD**.
(Dwi'n cofio'i bod hi'n DOTIO at y band.)

"Wyt ti'n mynd i'w gweld nhw?" gofynnaf.

"Mi faswn i **WRTH FY MODD**!"
medda hi. "Ond sgen i ddim tocyn." Yna mae Carwyn (nefi bliw, tydi hwn yn snichyn busneslyd?) yn gwthio'i big i mewn i'r sgwrs.

"Mae gen i docynna V.I.P."

Mae ei dad o'n nabod rhywun
sy'n nabod rhywun arall sy'n nabod
rhywun a gafodd y tocynna iddyn nhw ... diflas.

Dywedaf wrtho fod y P yn V.I.P. yn golygu

Ploncyr sy'n
codi Pwys.

Dydi o ddim yn gwybod sut i ymateb. Ha! Ha!

Dyma fi felly'n gwahodd Efa i'r cyngerdd efo
fi a Derec a Dad.
(Dwi ddim yn sôn am Yncl Cefin, Anti Alis a'r
ddau gefnder.) Ac mae hi'n deud "IAWN"
ac yn mynd yn ôl at ei darllen.

"FFANTASTIG," medda fi, a dyna fo.

Popeth wedi'i drefnu. 'Dan ni i gyd am fynd i weld fy hoff fand. Roedd hynna'n hawdd. Yna, yn hurt i gyd, dyma fi'n rhoi'r gora i wrando ar y wers hanes gan ddychmygu bod yn y cyngerdd (sy'n fwy o hwyl o lawer).

Mae'r **3 DIWD** yn wych, yn mynd i chwarae'u caneuon gora i gyd. Yn sydyn, ar ganol

unawd gitâr, mae'r gitarydd yn cael ei daro'n wael a'i lusgo'n ddramatig o'r llwyfan.

Mae'r canwr yn gofyn i'r dorf,

"Oes 'na rywun yma sy'n gallu chwarae caneuon y 3 DIWD?"

"FI!" gwaeddaf, gan neidio ar y llwyfan. Mae'r dorf yn cymeradwyo. Mae Efa'n cymeradwyo. Mae Derec yn cymeradwyo. Dechreuaf chwarae ac mae pawb yn rhyfeddu. Maen nhw'n dechra bloeddio fy enw:

TWM! TWM!

TWM!

TWM!

TWM!

Mr Ffowc sy'n gweiddi arna i. (Dwi wedi colli'r rhan fwya o'r wers hanes.)

Ond roedd yn werth o.

Mi wna i ddal i fyny heno a phlesio Mr Ffowc fory drwy beidio â bod yn hwyr ar gyfer trip yr ysgol.

Dwi'n edrych ymlaen ato fo'n fawr iawn. 

Dydi Mr Ffowc ddim yn hapus pan dwi'n cyrraedd yn HWYR eto. Bai Delia oedd o (wel, dyna be dwi'n ei ddeud wrth Mr Ffowc). Mae pawb arall ar y bws yn barod ac wedi cynhyrfu'n lân.

Yn enwedig Norman Watson, sy wrthi'n neidio i fyny ac i lawr yn ei sedd.

Dwi mond yn gallu gweld un sedd wag ar y bws, reit wrth ochor ...

NA, nid Mrs "Tash" Williams!

Ond mae Derec wedi cadw lle i mi, wrth ei ochor o. Roedd gweld y braw ar fy wyneb yn goblyn o hwyl iddo fo.

"Dy wep di!" chwardda.

"Ia, ia - digri iawn," medda fi.

Mae'r daith fws yn cymryd HYDOEDD gan fod rhai o'r dosbarth isio mynd i'r tŷ bach, ac mae Jenni Jones yn teimlo'n swp sâl (wedi troi'n reit wyrdd, hefyd). Felly mae'r bws yn gorfod stopio drwy'r amser. O'r diwedd, dyma ni'n cyrraedd yr amgueddfa.

Mae'n ANFERTH, gyda grisiau mawr carreg yn arwain at ddrysau mawr pren gyda phileri enfawr bob ochor iddyn nhw. Mae llawer o ysgolion eraill yma (bob un yn bihafio'n well na ni).

Cawn ein rhannu'n dri grŵp, gydag un athro yr un (Mrs Nap sy gynnon ni).

Cawn Gwis **Eifftaidd** i'w wneud hefyd. Dwi yn yr un grŵp ag Efa a Derec, a rhuthrwn o gwmpas yr amgueddfa gan gopïo atebion Efa. Dydi hyn ddim yn cymryd llawer o amser, felly 'dan ni'n cyrraedd y siop roddion yn handi iawn.

Dwi'n gwybod yn union be dwi isio'i brynu.

Dros ginio mae RHYWUN (o'r gora, fi) yn rhoi hanner waffer garamel i Norman (heb gofio bod siwgwr yn gneud Norman yn fwy o gnonyn nag erioed).

Mae pawb yn cael sgwrs gan Arbenigwraig yr Amgueddfa ar betha Eifftaidd. Mae hi'n dangos mymi go iawn i ni ac yn rhoi'r manylion **GWAEDLYD** am fel roedd yr hen Eifftiaid –

"yn defnyddio bachyn hir i dynnu ymennydd y person marw allan drwy'r trwyn cyn eu troi nhw'n fymis ..."

Mae Jenni Jones yn troi'n wyrdd gan deimlo'n swp sâl unwaith eto.

Fedar Norman ddim eistedd yn llonydd ac mae o isio mynd yn nes at y mymi.

Mae o'n NEIDIO i fyny'n rhy gyflym gan

wthio Bryn Siencyn, sy'n taro'n erbyn Lemiwel, sy'n glanio AR CALED, sy'n ei dro'n rhoi sgwd ddameiniol i Mrs Williams. Drosodd â hitha hefyd, ond mae hi'n taro'n erbyn hen fâs Eifftaidd brin ...

Diolch byth, mae Mr Ffowc yn llwyddo i'w **DAL HI!**

Mae o'n dal ei afael arni hi'n dynn ac yn rhoi ochenaid uchel o ryddhad wrth i Jenni Jones wyro ymlaen a chwydu.

(Dwi ddim yn meddwl mai dyna be oedd pwrpas yr hen fâs Eifftaidd 'ma.)

Erbyn hyn mae'r arbenigwraig ar dân i gael gwared arnan ni.
Tra bo Jenni'n cael ei "glanhau" awn ni i gyd yn ôl i'r siop roddion unwaith eto.
Prynaf datŵs Eifftaidd gwych.

Go dawel ydi'r bws ar y ffordd adra gan fod llawer o'r plant yn cysgu, gan gynnwys Carwyn, sy'n newyddion da iawn achos:

1. Does dim rhaid i mi wrando arno/ siarad efo fo (mae o'n snichyn).
2. Dwi'n dal yn flin efo fo am i mi gael fy nhaflu allan o'r côr.
3. Dyma'r cyfle i mi weld sut betha ydi'r "tatŵs Eifftaidd" 'ma.

Maen nhw'n gweithio'n wych!

Dyma fi'n tynnu
rhagor o lunia,
ac mae hyn
yn gneud i mi
FEDDWL
am BETHA
diddorol eraill ...
Bisgeden
Leuad

Rheolau:

Dyma ychydig o **reolau** am betha sy wedi digwydd i mi (felly maen nhw i gyd yn wir).

RHEOL 1.

Mae llunia ysgol wastad yn **ERCHYLL**. Dyna ydi'r gyfraith, dwi'n siŵr. Hyd yn oed efo'r ffotograffydd gora'n y byd, basan nhw'n **DAL** i fod yn rwtsh.

Llun ysgol ERCHYLL

RHEOL 2.

Mae'ch brodyr a'ch chwiorydd (Delia, yn f'achos i) yn gallu'ch gwylltio chi'n waeth na neb arall.

RHEOL 3.

Mae eich rhieni'n codi **MWY** o gywilydd arnoch chi wrth fynd yn hŷn.

Mae Dad bellach yn

BENCAMPWR BYD ar godi cywilydd.

Roedd o'n disgwyl amdana i pan gyrhaeddon ni'n ôl o drip yr ysgol.

Roedd o'n gwisgo:

Hen gap pom pom efo'i enw arno fo

Jîns sglyfaethus efo darn o gortyn rownd eu canol.

DIM belt, mond CORTyn.

Crys budur, yn dyllau ac yn glytiau i gyd.

A phâr o hen welingtyns budron.

"Dwi wedi bod yn garddio," meddai.

(Fel tasa hynna'n esgus da!)

"Iawn 'ta, wna i ddim trafferthu dod i dy gasglu di eto."

(Plis peidiwch.)

Roedd Bryn Siencyn a Marc Clwmp yn meddwl mai ryw hen dramp oedd o.

Ha! Ha! Ha! Ha!

"Sbïwch ar yr hen dramp 'na," chwarddodd y ddau.

"Meddylia ofnadwy fasa cael hwnna'n **DAD I TI**!" meddai Bryn. Ha!

"Mae o yn dad i mi," dywedais. Allwn i ddim cyrraedd adra'n ddigon cyflym.

Wnes i ddim madda i Dad nes iddo dynnu pedwar tocyn (go fwdlyd) **3 DIWD** o'i boced.

GWYCH!

(Dyna pam ei fod o wedi dod i gwrdd â'r bws.)

Dwi wedi cynhyrfu go iawn rŵan ac yn hynod o hapus.

Gartra, mae'n rhaid i Delia ddifetha'r cwbwl drwy gael hwyl iawn am ben fy llun ysgol i. "**FFRÎC**, neu BE?"

Y peth ydi, mae'n rhaid i mi gytuno. Mae o'n OFNADWY, erchyll, un o'r llunia gwaetha erioed.

Mae gen i wyneb coch a gwallt od. Ro'n i wedi disgwyl iddo fo fod yn wael, ond nid cyn waethed â *hyn*.

AAAAACH!

Dyma fi'n ei gipio fo oddi arni a thrio'i guddio fo cyn i Mam ei weld. Ond medda Delia,

"RHY HWYR, **Y NYRDYN**."

Deallaf fod Mam wedi dotio at y llun ac wedi archebu tua miliwn copi ar gyfer pawb yn y teulu ...

HELP.

Dywedaf wrth Derec am y tocynna **3 DIWD** ac mae o'n deud ei fod o wedi cael ei GI BACH NEWYDD!! Mae o am ddod â fo draw i'r ymarfer band heno, i mi gael ei weld o. (Ac mae gan Delia alergedd i gŵn, felly mi fydd hi'n cadw draw.)

Mae hwyliau reit dda ar Mr Ffowc.

(Er mai ond cael a chael oedd hi i mi

gyrraedd mewn pryd eto heddiw –

ac wedi anghofio fy ngwaith cartra

ETO.)

"Heddiw rydan ni am wneud modelau o byramidiau."

(Sy'n swnio fel tipyn o hwyl am unwaith.)

Cawn ein rhannu'n grwpiau. Dwi efo Norman, Angharad, Briallen, Indrani a CALED.
(Bydd yn rhaid i mi newid bwrdd.)
Mae gan Caled syniad am siâp y model.
"Rhyw siâp go debyg i byramid, falla?"

JINIYS.

Mae Indrani'n tynnu llun ar gerdyn ac mae Angharad yn ei dorri allan. Yna mae pawb yn rhoi'r glud a'r papur drosto fo, fel bod gynnon ni fodel go solet.
Mae pawb yn gweithio'n dda efo'i gilydd (sy'n beth newydd i Ddosbarth 5C). Mae ein pyramid ni'n dechra edrych fel ... pyramid.

Mae sylw Mr Ffowc ar grŵp Marc Clwmp, a dydyn nhw ddim yn cael llawer o hwyl arni.

Yna mae Norman yn dechra diflasu. (Mae o'n diflasu'n hawdd iawn.)

"Be am i ni neud mymi," medda.

Mae Norman yn trio lapio CALED mewn papur tŷ bach. Ond does dim digon o bapur i'w lapio fo i gyd (mae'n rhy fawr a thal). Felly dyma ddefnyddio Norman yn ei le. Mae o'n llai o faint ond yn fwy aflonydd o lawer.

"Aros yn llonydd, **Norman**," medda fi wrtho.

Lapio'i goesau a'i ben o efo'r papur tŷ bach ydi'r joban anodda. O'r diwedd, ac ynta wedi'i lapio fel mymi, mae Norman yn dechra cerdded o gwmpas (fel mymi go iawn) efo'i freichiau allan,

gan neud synau WWWWWWWWWWWWWWWAAAAAAA WWWWWWWWWWWWWWWAAAAAAA!!

Mae o'n edrych yn dda, chwara teg.

Ac yn codi ofn ar Angharad.

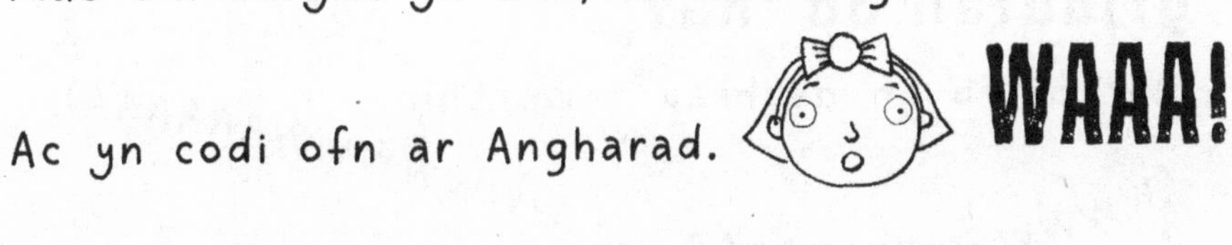

Mae Mr Ffowc yn edrych i'n cyfeiriad i weld be sy'n digwydd.

YN SYDYN, daw Syr Preis y prifathro i mewn i'r dosbarth.

(Ar un o'i ymweliada bach.)

Mae Norman y tu ôl i'r drws o hyd.
Dydi o ddim yn symud.

Mae Syr Preis yn holi am drip yr ysgol gan edrych ar ein pyramidia ni.

(WWWWWWWWAAAAAA WWWWWWWWAAAAAA)

"Be ydi'r sŵn griddfan od 'na?"

Mae pawb yn dechrau chwerthin.

(WWWWWWWWAAAAAA WWWWWWWWAAAAAA)

"Dyna fo eto."

Dechreua wyneb Syr Preis hofran ar y rhan "Blin" o'r Preis-O-Mitar. ond mae'n cael ei alw o' na gan lais Mrs Mwmbl yn cyhoeddi rhywbeth. Ac wrth i Syr Preis gau'r drws, gall pawb weld Norman yn gneud synau

WWWWWWWWAAAAAA WWWWWWWAAAAAAAAAA

ac yn smalio mai mymi ydi o.

Gan gynnwys Mr Ffowc.

Sy'n bell o fod mewn hwyliau da rŵan.

Do, bu heddiw'n ddiwrnod difyr iawn yn yr ysgol.

(Stan y Gofalwr yn dod â rhagor o bapur tŷ bach→)

Dwi'n ysu am gael gweld CI BACH newydd Derec! Peth bach del ydi o (y ci, nid Derec) - er mae 'na debygrwydd hefyd, yn ôl y llun e-bostiodd o ata i.

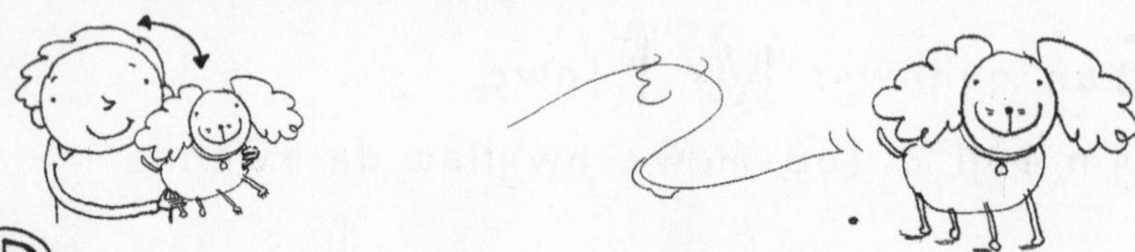

'Dan ni'n gadael iddo fo redeg o gwmpas tŷ ni ... ac i mewn i stafell Delia. Yno, mae o'n cnoi sawl pâr o sbecs haul ac yn neidio i fyny ac i lawr ar y gwely.

Mae Delia'n lloerig.

Ond mae'n rhaid iddi gadw'n ddigon pell gan fod ganddi'r alergedd i gŵn.

Mae Derec a finna'n brysur yn ymarfer caneuon newydd CŴN SOMBI (ac mae ci bach Derec yn ~~canu~~ sori, yn udo efo ni).

Owwwwwl

helô 'na!

Mae Dad yn sbecian i mewn i'r stafell.
Mae o'n holi os oes isio gitarydd arall ar
y band. (Nag oes, wir.)

Mae o'n gofyn petha fel'na o hyd, fel tasa fo'n tynnu coes. Ond weithia dwi'n meddwl ei fod o ddifri. Mae o'n ein hatgoffa am y cyngerdd yr wsnos nesa.

Mae'n edrych fel na fydd Delia'n dod efo ni gan ei bod hi am fynd efo "ffrindia" (ella bod ganddi hi gariad, sy'n syniad sblychlyd). Ond o leia fydd hi ddim yno i ddifetha'r hwyl i mi am unwaith.

Methu gweld

3 DIWD

3 DIWD

Byddwn yn cwrdd ag Yncl Cefin, Anti Alis a'r efeilliaid yn y cyngerdd. Druan o bwy bynnag fydd yn sefyll y tu ôl i'r efeilliaid. Welan nhw ddim byd o gwbwl.

Mae Derec a finna'n trafod gwisgo ein crysau-T **3 DIWD**. (Bydd angen gofalu na fydd dillad Dad yn codi gormod o gywilydd arnon ni. Mae'n siŵr o neud.)

TWM ...
ble mae dy WAITH CARTREF?

Mae Mr Ffowc yn flin Fel TINCAR heddiw.
Dwi wedi anghofio fy ngwaith cartra eto.
Mi fydda i'n saff o gael fy nghadw i mewn.
Dydi o ddim yn hapus o gwbwl.

Ar ben hynny mae hi'n noson rieni heno
(anghofiais am HYNNA hefyd).
Mam a Dad fydd y rhieni OLA un i weld
Mr Ffowc rŵan.

Gan mod i wedi anghofio dod â'r ffurflen
yn ôl, bydd digon o amser ganddyn nhw i
sbio'n fanwl iawn ar fy ngwaith ac i sgwrsio
â phawb (athrawon a rhieni eraill - bydd
hynna'n ofnadwy).

Cawn ein gwaith am heddiw gan Mr Ffowc.

DOSBARTH 5C

Heddiw, hoffwn i chi ysgrifennu am eich HOBÏAU.
Unrhyw beth y byddwch yn ei wneud y tu allan i'r ysgol.

Chwaraeon, cerddoriaeth, nofio, canu.
Ydych chi'n casglu stampiau?
Ydych chi'n hoffi tynnu lluniau?
Pryd ddechreuoch chi ar eich hobi?
Beth mae yn ei olygu i chi?
Oes angen offer arbennig arnoch chi?
Ydych chi wedi ennill gwobrau o gwbl?
Fasech chi'n dweud wrth bobol eraill am ddilyn yr un hobi?

Ysgrifennwch o leiaf un dudalen A4.

Mr Ffowc

Mmmmm ... hobïau?

Fy hobïau i ydi:

- gwylltio Delia
- bod mewn band
- a bwyta wafferi caramel.

Gallwn sgwennu tudalen A4 gyfan ar wylltio Delia, ond go brin mai dyna be sy gan Mr Ffowc mewn golwg.

Sgwennu be? Be fedra i sgwennu?

WN I - mi wna i ddychmygu hobi fwy diddorol i mi fy hun. Rhywbeth digri.

Dan ni'n treulio'r rhan fwya o'r dydd yn cael trefn ar y dosbarth a hel ein llyfra at ei gilydd ar gyfer y noson rieni. Mae Carwyn yn gadael ei lyfra allan ar y ddesg ac yn mynd i'r tŷ bach.

(Camgymeriad!)

Dyma fi'n sleifio ambell i lun dwi wedi'i neud rhwng tudalenna 'i waith o.

(Dylai hyn droi'r noson rieni yn un ddifyr iawn.)

Dydi Mam a Dad ddim yn hapus (fel y deudais i) mai nhw fydd y rhieni ola i weld Mr Ffowc.

Teimlad od bob tro ydi dod 'nôl i'r ysgol gyda'r nos. Yn enwedig efo'r stafelloedd dosbarth yn lân ac yn dwt (am unwaith). Mae Mr Ffowc yn edrych yn anghyfforddus iawn yn ei siwt. Mae Dad yn gwisgo un o'i grysau-T ofnadwy, felly dwi'n crefu arno i beidio â thynnu ei siaced.

Mae Mam yn mynnu cael edrych ar bob UN darn o waith ar y walia. Mae hi hefyd yn siarad ag athrawon sy ddim yn fy nysgu i

AC efo rhieni plant sy'n hollol ddiarth i mi.

SÔN am embaras.

Dacw CALED, sy'n bell o fod yn hapus (ond mae o'r un ffunud â'i **DAD**, hefyd).

"Mae nosweithiau rhieni'n sblych," sibryda.

Yn hollol.

Yna gwelaf Efa. Mae ei rhieni hi efo Mr Ffowc yn barod. Mae'r ddau ohonyn nhw'n gwenu ac yn chwerthin (dim problemau gyda gwaith Efa, felly).

Mae Dad yn deud fod tocynna **3 DIWD** Efa ganddo yn ei boced, a gall eu rhoi nhw i'w "phobol" hi rŵan. (Pobol? Peidiwch â deud pobol, plis!) Felly dyma aros nes iddyn nhw orffen. Yna mae Dad yn dechrau malu awyr am

GERDDORIAETH

efo tad Efa mewn llais UCHEL iawn.

Mae Efa'n rholio'i llygaid a sbio arna i. "Sori," medda fi, a rhaid i ni'n dau sefyll yno ac aros i'n rhieni roi'r gora i godi cywilydd arnon ni.

Maen nhw'n sgwrsio am hydoedd ac am bob math o rwtsh. Ac mae Dad yn anghofio rhoi'r tocyn iddyn nhw ar ôl hynna i gyd!

O'r diwedd, ar ôl i Mr Ffowc weld y rhieni eraill, daw ein tro ni ... help.

Mae ganddo ffeil sy'n llawn o lythyra.

"Ga i gychwyn gyda'ch llythyrau chi?" medda.

Mae golwg ar goll, braidd, ar Mam a Dad.

Nid y LLYTHYRA, NA!!

(Dwi wedi cael copsan.)

Annwyl Mr Ffowc

Mae annwyd trwm ar Twm, druan, a dydi o ddim yn gallu gneud Ymarfer Corff y tu allan – byth.

Hwyl

Rita Clwyd

Annwyl Mr Ffowc

Geith Twm ei esgusodi o'r prawf sillafu'r wsnos yma? Mae o wedi cael wsnos go anodd (stwff teuluol).

Diolch

Rita Clwyd

Annwyl Mr Ffowc

Mae Twm wedi bod yn helpu ei nain sy'n sâl, yr hen beth, ac heb gael amser i neud ei waith cartra.

Sori

Rita Clwyd

Annwyl Mr Ffowc

Y rheswm pam fod Twm yn hwyr efo'i waith cartra ydi fod ei chwaer o'n greulon wrtho, ac yn gwrthod gadael iddo iwsio'r cyfrifiadur. Mae hi wedi cael row.

Diolch

Ffranc Clwyd

Annwyl Mr Ffowc

Mae Twm wedi bod yn helpu ei daid sy'n sâl, yr hen gradur, a heb gael amser i neud ei waith cartra.

Wps

Ffranc Clwyd

Annwyl Mr Ffowc

Geith Twm ei esgusodi o'r wers nofio? Mae ganddo alergedd ~~i ddwr~~ i'r cemegau yn y dŵr.

Diolch

Rita Clwyd

Dechrau go wael i'r noson rieni.
(Be fedra i ddeud? ... Wnaeth y tric
'na weithio am sbelan.)

Ond y newyddion da ydi, dwi'n gneud yn dda
mewn CELF a Chymraeg.

Dim ond go lew ydi'r sillafu. Lle i wella efo
mathemateg. Mwy o le i wella efo hanes a
daearyddiaeth. Da mewn ymarfer corff.

Dydi o ddim yn ddrwg i gyd.
Lle i wella, medda Mr Ffowc.

Maen nhw'n cael sgwrs braf amdana i
(fel taswn i ddim yno).

Gwenu wnaf i ac addo peidio:

1. Clebran gymaint.

2. 

cymaint.

3. Sgwennu llythyra celwyddog o gartra eto.

Ar y cyfan, dwi'n hen hogyn iawn.

Mae hi'n noson rieni *weddol dda* wedi'r cwbwl. Ond yna mae Mam a Dad yn darllen

"FY HOBI NEWYDD"

(ro'n i wedi anghofio bob dim am hyn). Ac mae petha'n troi'n flêr OFNADWY. Gallaf ddeud oddi wrth eu hwyneba eu bod nhw'n bell o fod yn hapus.

Gan Twm Clwyd

Mae Mam a Dad yn hoffi defnyddio fy mhres pocad fel ffordd o 'nghael i neud petha dwi ddim isio'u gneud.

Er enghraifft ...
"Taclusa dy stafell ... neu dim pres pocad fydd hi."
"Bwyta dy lysia ... neu chei di ddim pres pocad."
"Bydda'n glên wrth dy chwaer ... neu fydd yna ddim pres pocad."
(Dwi'n siŵr fod hyn yn erbyn fy hawlia dynol.)
Ac i neud petha'n waeth, mae Dad yn cael pleser rhyfedd o osod
fy mhres mewn
llefydd uchel iawn.

UCHEL

Ar ben drysa, silffoedd,
ac unrhyw le na fedra i ei gyrraedd yn hawdd.

A phan fydda i o'r diwedd yn cael fy mhump arno fo, mi fydd Mam yn reit amal yn cymryd ei fenthyg o'n ôl i brynu llefrith a phapura newydd.

Des i o hyd i fy hobi newydd drwy ddamwain. Wedi cael llond bol ar wrando ar Mam a Mrs Pringle (mam Derec) yn "clebran" y tu allan i'r siopau (am ORIAU), dyma fi'n eistedd ar y pafin gan edrych fel 'swn i wedi diflasu'n llwyr (mae 'nghoesau fi'n brifo hefyd). Wrth i rywun gerdded heibio, dyma fo'n gollwng pres ar fy nglin i.

Pres go iawn!

Mae'n **WYCH!**

(Sgwn i mai teimlo TRUENI drosta i oedd o?)

Felly dyma fynd ati i edrych yn fwy *digalon* fyth, ac mae rhywun arall yn rhoi punt i mi. Erbyn i Mam a Mrs Phillips orffen clebran, dwi wedi cael £3.70 i gyd ar fy mhen fy hun. Mae hyn yn gneud i mi feddwl. Be taswn i'n sgwennu arwydd yn GRYNEDIG

a gwisgo hen ddillad carpiog?

Dyma fynd ati i neud hynny, a wir i chi, mi wnes i fwy FYTH o arian.

Yr hyn sy'n wych am fy hobi newydd ydi hyn: gallwch ei neud yn unrhyw le, a chael y cyfle i gyfarfod â **LLWYTHI** o bobol wahanol.

Ac, wrth gwrs, does dim raid i mi ddibynnu ar Dad a Mam am bres pocad dim rhagor. Mi faswn i'n argymell yr hobi yma i

BAWB.

Dwi hefyd mewn band o'r enw

ond dydan ni ddim yn ennill pres o gwbwl (eto).

Y Diwedd

"TI 'DI BOD YN BEGIAN?

DWI DDIM YN CREDU HYN!"

Mae Mam a Dad yn rhythu arna i ac yn ysgwyd eu penna.

(Do'n i ddim yn begian; mond STORI ydi hi.)

Ar y ffordd adra, maen nhw'n f'atgoffa i droeon,

"Dydi pawb **DDIM** mor lwcus â chdi, Twm."

A "dydi gorfod begian ddim yn jôc!"

Gwnaf fy ngora i ddeud wrthyn nhw nad o'n i'n begian go iawn. Defnyddio fy nychymyg o'n i, dyna i gyd. Faswn i BYTH yn begian. BYTH!

"Mond stori oedd hi! Ym, smalio ... ha ha ha?"

Dwi'n meddwl eu bod nhw'n fy nghoelio rŵan.

Ffiw.

Daw Delia i wybod am y noson rieni a sut roedd Mam a Dad yn credu mod i wedi bod yn begian.

Daw ata i a chynnig waffer garamel i mi. Er y dylwn i wybod yn well, dyma fi **FEL FFŴL** yn ei chymryd.

"Gan dy fod ti mor dda am fegian, begia am y fisgeden yma 'ta!" medda hi, gan chwifio'r waffer o dan fy nhrwyn. Dwi **CYMAINT** o isio'r waffer 'na, dwi'n fy nghlywad fy hun yn hun yn deud **"PLIS."** A Delia'n deud,

"DEUDA 'PLIS, DYWYSOGES'."

A dwi'n deud, **"PLIS, DYWYSOGES."**

(Sôn am deimlo'n fach.)

"Dwi ddim yn dy glywad di!"

"PLIS, DYWYSOGES!"

Ac er mawr syndod i mi, mae Delia yn rhoi'r waffer i mi ac yn mynd i ffwrdd dan chwerthin.

Ond wrth i mi drio agor y fisgeden, dyma fi'n sylweddoli fy mod wedi baglu i mewn i'r hen dric "papur waffer gwag" hwnnw.

Digri iawn, Delia.

Digri iawn.

Ond mae hyn i gyd yn fy ysbrydoli i sgwennu cân newydd. Pan ddaw Derec draw yn hwyrach, dangosaf y gân dwi wedi'i sgwennu ar gyfer

Mae o'n ei hoffi'n

FAWR!

Wîrdo 'di Delia

Pwy 'di'r wîrdo yn y tŷ?
Yr un sy'n gwisgo
Dim ond **du**.
Heb fath o galon
Ganddi hi,
Mond talp o rew,
Ie, cred ti fi.

CYTGAN

Delia
Dyna WÎRDO
Delia
Dyna GÎC
Delia
Dyna WÎRDO
Delia
Dyna FFRÎC

Hen hulpan 'di hi.
Ie, cadwch draw
O'i sbecs, da chi,
Sy'n ddu fel baw.
Mae'i gwallt yn drewi
Mae'n hollol sblych!
Ac yn ffrîci.

CYTGAN

Twm, dwi'n dal i aros
am dy WAITH CARTREF.

(Mi es i gymaint o hwylia'n ymarfer 'Wîrdo 'di Delia' wnes i anghofio am y gwaith cartra. Mae'r gân yn swnio'n wych. Dwi wedi sgwennu mwy o benillion da hefyd. Bydd yn rhaid i mi neud y gwaith cartra HENO cyn cyngerdd y 3 DIWD.)

Dwi wedi cynhyrfu CYMAINT, dwi'n cael trafferth canolbwyntio.

Pwysig ... pwysig ... pwysig ...

Mae Carwyn yn hefru ac yn hefru ynglŷn â'i docynna POBOL BWYSIG.

"Cau hi, Carwyn." Mae hyd yn oed Efa'n cael llond bol arno fo.

Mae Mr Ffowc yn ein hatgoffa bod cyngerdd arall yn fuan, heblaw un y 3 DIWD (sut mae o'n gwybod am y 3 DIWD?).

"Peidiwch ag anghofio am GYNGERDD YR YSGOL," medda fo wrthon ni.

Wrth i Mr Ffowc dechrau ar wers, dwi'n brysur yn trio meddwl faint o oriau sy 'na cyn y cyngerdd.

LLAWER ... gormod.

Dydi bysedd cloc y dosbarth ddim i'w gweld yn symud o gwbwl. Hon ydi'r wers HiRaf i mi ei chael erioed gan Mr Ffowc.

Syllaf ⊙ ⊙ ar y cloc, a dydi o DDIM yn gweithio, dwi'n siŵr.

Mwya'n y byd dwi'n syllu ⊙ ⊙, mwya'n y byd mae'r amser yn llusgo.

Ac mae Mrs Mwmbl yn torri ar draws y wers drwy'r amser gyda chyhoeddiada sy'n amhosib eu deall.

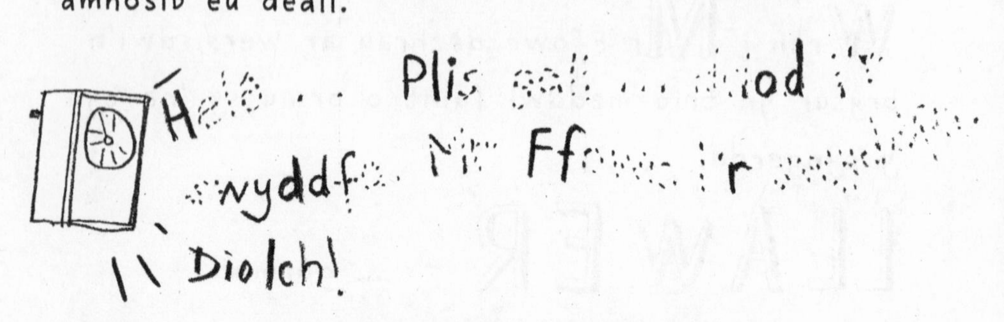

"Wnaeth rhywun ddeall hynna?" gofynna Mr Ffowc. Yna daw llais Mrs Mwmbl eto, ond dydi o'n ddim gwell. (Dydi'r wers hon **BYTH** am orffen!)

Mae Mr Ffowc yn mynd i weld be sy'n bod. **"Falla 'i fod o'n rywbeth pwysig,"** medda. (Ia, ia ...)

Ar ôl iddo fynd, dwi'n cael

SYNIAD GWYCH!

Dringaf i ben y bwrdd a **SYMUD** bysedd y cloc **ymlaen** at amser gorffen y wers. (Mae hyn yn plesio gweddill y dosbarth yn fawr.)

Hwrê Hwrê! HWRÊ!

Golwg go ffwndrus sy ar Mr Ffowc pan ddaw o'n ei ôl. Edrycha ar ei wats.

"Ydi'r cloc 'ma'n gywir?"

"YDI, MR FFOWC."

"Oes 'na rywun wedi ffidlan efo'r cloc?"

"NAG OES, MR FFOWC."

Mae'n sylwi bod y cloc ychydig yn gam ar y wal ac yn amau bod rhywbeth o'i le. Mae Mr Ffowc yn sefyll ar ben cadair er mwyn symud bysedd y cloc yn ôl i'r amser cywir.

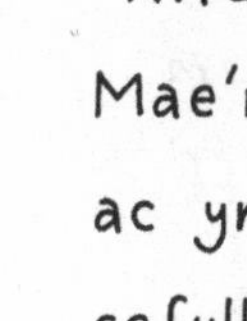

Dyna pryd y daw cyhoeddiad arall gan Mrs Mwmbl. Mae hyn yn achosi i Mr Ffowc neidio, ac mae o'n woblan ar y gadair cyn syrthio i'r llawr.

Am DRYCHINEB!

(Chawn ni **byth** fynd o'r wers yma rŵan.) Hon, saff i chi, ydi'r wers hiraf ERIOED.

Mae Mr Ffowc, druan, yn gwingo mewn poen ac yn cymryd HYDOEDD i neud neu ddeud rhywbeth. A dydi gweddill y diwrnod ddim yn symud fymryn yn gyflymach. (Fel tasa rhywun wedi arafu'r byd yn fwriadol gan wybod bod y cyngerdd ymlaen heno.)

Mae MATHEMATEG yn llusgo.
Mae YMARFER CORFF yn para am byth. Wrthi'n newid o fy nillad ymarfer corff ydw i, pan ddaw'r sŵn mwyaf ofnadwy, sŵn

o'r sbîcyrs.

(Nid Mrs Mwmbl y tro hwn. Sŵn sy'n UWCH o lawer.)

medda Mr Ffowc.

"Gadewch bopeth ac ewch allan yn drefnus. DIM RHEDEG!"

Dwi'n llwyddo i gydio yn fy sgidia a dilyn pawb arall i'r buarth. Er ein bod ni wedyn yn gorfod **aros** i'r gofrestr gael ei darllen, ac i'r holl ddosbarthiada eraill ddod allan, mae'r amser rŵan fel tasa fo'n *HEDFAN* heibio. Falla fod a wnelo hyn â'r ffaith fod Carwyn wedi gadael ei drowsus ar ôl, a'i fod o'n sefyll yn y buarth yn ei drôns.

Mae Mrs Nap yn rhoi siwmper iddo i'w chlymu rownd ei ganol. Rŵan mae o'n edrych fel tasa fo'n gwisgo sgert.

Dyma'r peth mwya **DIGRI** i mi ei weld ers hydoedd.

Mae Mr Ffowc yn deud y cawn ni i gyd fynd adra fymryn yn gynharach rŵan.

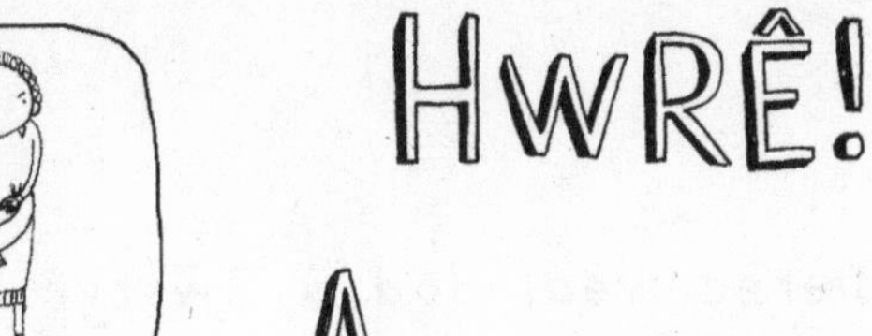

Bechod!

Ar y ffordd adra, soniaf wrth Derec am yr hyn ddigwyddodd i Carwyn (yn enwedig y darn am y siwmper/sgert). Yn ôl Derec, mae ganddo fo enw i'r ci erbyn hyn. Ceisiaf ddyfalu be ydi o.

"Roci?"

"Pero?"

"Mot?"

"**RŴSTYR**," medda fo.

"RŴSTYR? Ceiliog ydi peth felly, yndê? Dwyt ti 'rioed yn galw dy gi yn geiliog?" (Wel, mi ddo' i i arfer efo fo, mwn.)

CLWC

3 DIWD DYMA NI'N DOD!

Mae Derec wedi dod â Rŵstyr draw ac mae o'n rhedeg yn wyllt drwy'r tŷ, yn chwilio am Delia. Mae hi wedi hen fynd allan i weld ei ffrind (ei chariad, dwi'n siŵr). Mae Derec a minna'n gwisgo'n crysau-T **3 DIWD** ac yn edrych yn cŵl iawn.

Ond mae Dad yn gwisgo crys-T erchyll arall a hen drowsus hyll. Dydi o ddim yn edrych yn cŵl.

Mae Mam yn cytuno efo fi ac yn mynnu'i fod o'n newid. "A dim syrffio dros ben y gynulleidfa," medda hi wrth Dad wrth i ni adael y tŷ.

Yna mae DAD yn cofio bod y tocynna'n ei drowsus arall. Yn ôl â fo i'w nôl. Ond mae'n methu cael hyd iddyn nhw yn **UNMAN**.

MAE HYN YN OFNADWY.

Mae Derec yn trio peidio gwylltio. 'Dan ni'n chwilio drwy'r tŷ. Yn stafell Delia, fy stafell i, y gegin. "Paid poeni, maen nhw yma'n rhywle," medda Dad. Chwilia drwy'i bocedi. Y llofftydd, y stafell molchi. Rŵan 'dan ni'n HOLLOL HONCO. Lle mae'r tocynna?

IAP! IAP! IAP! IAP! IAP!

Mae Rŵstyr yn rhedeg o gwmpas yn wyllt ar ein holau o stafell i stafell. Mae'r holl sŵn cyfarth yma'n mynd ar ein nerfa ac yn gneud pawb yn fwy blin.

Mae Mam yn hel Rŵstyr allan i'r ardd. Wrthi'n chwilio drwy fy stafell ydw i eto fyth pan dwi'n digwydd sbio drwy'r ffenestr a gweld Rŵstyr yn chwarae efo darna o bapur. Darna o bapur sy'n edrych fel gweddillion ...

Y TOCYNNA!

"**CI DRWG!**" dwrdia Derec. Ond mae'n rhy hwyr. Mae'r tocynna'n rhacs grybibion, efo ôl dannedd a phoer ci drostyn nhw i gyd..

"Mi ro' i nhw'n ôl at ei gilydd," medda Dad. "Mi fyddan nhw'n iawn."

Ond dydyn nhw ddim yn iawn. Mae'r tocynna wedi'u difetha.

"Falla bydd Yncl Cefin ac Anti Alis yn fodlon gwerthu'u tocynna nhw i ni?" medda Dad.

"Ha! Go brin," medda Mam.

"Wnawn ni feddwl i am rywbeth," medda Dad.

Ond dwi'n rhy SYFRDAN i ddeud gair o 'mhen.

I ffwrdd â ni i'r gìg, beth bynnag.

"Dwi byth am gael ci," dywedaf wrth Derec. Braidd yn annheg, falla, achos nid ar Derec mae'r bai. Ond dwi'n hollol loerig efo'i gi-ceiliog gwirion o.

GGGGGGGGGGrrrrrrrrrrrrr.

Mae Efa yno'n barod, yn disgwyl amdanon ni efo'i thad.

"Tybed os wnân nhw dderbyn y tocynna beth bynnag," medda Dad. Ond mae un golwg arnyn nhw'n ddigon i'r dyn ar y drws.

Mae'n ysgwyd ei ben.

"Sori, mêt, alla i ddim derbyn y rhain. Maen nhw'n siwrwd."

Wrth i mi feddwl na fedar petha fod yn waeth ... pwy sy'n cyrraedd ond Carwyn a'i dad gyda phedwar o'r tocynna POBOL BWYSIG.

Tocynna Pwysig

Tad Carwyn

Mae ganddyn nhw ddau docyn sbâr. Ac mae tad Carwyn yn eu cynnig i ni. (Dydi Carwyn ddim yn debyg i'w dad clên, mae'n amlwg.)

Dwi AR DÂN isio mynd. Ond dyla Derec ac Efa'u cael nhw, medda Dad. "Falla y medrwn ni fynd i mewn efo Yncl Cefin."

Dwi'n ddewr IAWN.  Dywedaf wrth Efa a Derec fod dim ots gen i ac y bydda i'n iawn. Yna mae'n rhaid i mi wylio'r pedwar yn mynd i mewn i'r cyngerdd. (Ond yn fy nghalon, alla i ddim credu bod Derec ac Efa wedi mynd efo CARWYN!)

Mae hyn yn ofnadwy.

Mae Yncl Cefin ac Anti Alis yn gweiddi ar Dad ac yn chwifio'u breichiau. Mae golwg hynod o falch ohono'i hun ar Yncl Cefin. Dywed Dad wrtho na chawn ni fynd i mewn, diolch i'r helynt efo'r tocynna.

(PWY OND TI!) medda Yncl Cefin, gan neud Dad yn flin. Gwerthwr ydi o, ac mae o newydd werthu eu tocynna nhw am dair gwaith eu pris gwreiddiol. Yn hapus braf, maen nhw'n mynd am bryd o fwyd yn hytrach nag i'r cyngerdd. (Ond dwi'n siŵr y basa'n well gan y ddau gefnder fod wedi gweld y band.)

Grêt, mae hyn yn troi'n hunllef. Cha i FYTH weld fy hoff fand rŵan. Mae Dad yn gweld mod i'n ddigalon **IAWN**.

"Aros yma, paid â symud," medda fo. "Mi ga i docynna o rywle, paid ti â phoeni, Twm."

Dwi **MOR** ddigalon.

Eisteddaf ar y llawr yn edrych yn drist iawn. Mae'r cyngerdd ar fin dechrau a does gynnon ni ddim siawns o'u gweld nhw rŵan.

Ond dwi newydd gael syniad.
Crafu gwaelod y gasgen, falla, ond does gen i ddim byd i'w golli.

Dwi'n **despret**.

Dwi'n dod o hyd i fag papur - mae beiro gen i'n barod.

Yna af ati i sgwennu a thynnu llun.

HELPWCH FI!
MAE'R CI
WEDI CNOI
FY NHOCYN!
BYDDWCH
YN HAEL!
EUOG

Dwi'n denu lot o sylw, ond dim tocynna hyd yn hyn.

Mae un ddynes yn cerdded heibio gan ddeud, "Druan bach," sy'n reit neis.

Yna mae 'na ddyn mewn trowsus lledr yn darllen fy arwydd. Mae o'n ysgwyd ei ben wrth edrych arna i.

Felly dyma fi'n gneud ati i edrych yn fwy **TRIST** fyth.

Yna dechreua'r dyn gerdded tuag ata i, ac mae 'na rywbeth cyfarwydd amdano ... Dwi'n siŵr mod i'n ei nabod o rywle. Yna mae'n gofyn cwestiwn i mi.

"Ai dyma dy hobi newydd di 'ta, Twm?"

a dwi'n gwybod yn UNION pwy ydi o ...

NEFI, MR FFOWC.

AC mae o'n gwisgo trowsus lledr! Be mae O'N da yma? Peth ofnadwy ydi taro ar ATHRO y tu allan i'r ysgol. Dydi rhywun ddim yn meddwl, rywsut, fod ganddyn nhw fywyd eu hunain.

Caf dipyn o sioc (yn enwedig wrth weld y trowsus lledr).

Daw Dad yn ei ôl, heb docynna.

Dydi o DDIM yn hapus fy mod i'n begian.

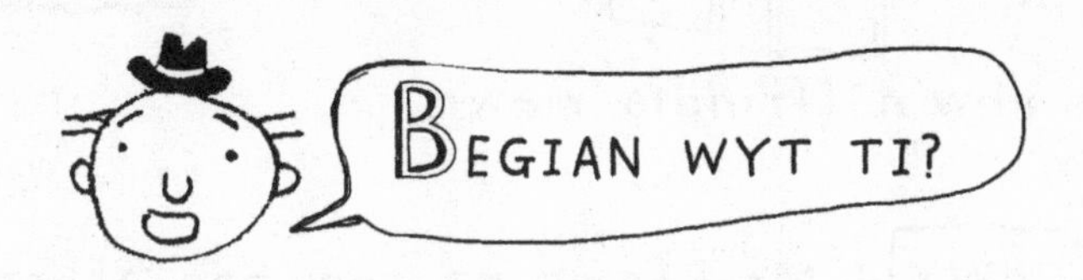

"Mi ddeudist ti mai dim ond stori oedd hi, Twm."

"Stori oedd hi - ond dwi'n despret!" medda fi.

"Rho'r gora iddi rŵan! Mae'n rhaid bod 'na ffordd arall o weld y 3 DIWD."

Yna medda Mr Ffowc,

"Helô, Mr Clwyd. Falla alla i helpu."

Mae Dad hefyd yn cael sioc o weld mai Mr Ffowc ydi o (mewn trowsus lledr).

Dwi'n trio meddwl be mae Mr Ffowc yn ei neud mewn gìg 3 DIWD yn y lle cynta, a wyddoch chi be?

Roedd Mr Ffowc yn yr ysgol efo

RHEOLWR 3DIWD!

Maen nhw'n ffrindia mawr.

(Mae MWY i Mr Ffowc na ryw hen athro sych wedi'r cwbwl.)

Mae o'n cael gair efo rhywun yng nghefn y llwyfan, sy'n rhoi tocynna arbennig i ni i gyd.

RŴAN dwi'n cael gwylio'r gìg gyfan o ochor y llwyfan!

Mi faswn i'n rhoi CWTSH mawr i Mr Ffowc tasa fo ddim yn athro i mi (ac yn gwisgo trowsus lledr).

Dyma'r man GORA erioed i weld gìg!

Mae'r 3 DIWD yn hollol wych a gallaf weld **POPETH**.

Gallaf weld Derec ac Efa, a chodaf fy llaw arnyn nhw. Mae Derec ac Efa'n chwifio'n ôl. Mae ceg Carwyn yn agored, fel pysgodyn sy wedi cael sioc.

(Bron iawn y peth gora am y gìg. Ha ha!)

Yna caf gip ar Delia yn y gynulleidfa. Mae hi efo'i chariad. Felly dyma fi'n ei ddangos i Dad gan ddeud bod gan y boi enw drwg IAWN yn y dre.

Ew, dwi'n cael noson arbennig. Mae'r 3 DIWD yn chwarae'u caneuon gora i gyd.

Yna, reit ar y diwedd ... mae petha'n gwella eto ...

ODDI AR Y LLWYFAN

I GYD YN RHOI

HIGH FIVE I MI!

(Wna i byth folchi eto.)

Dwi'n dal i deimlo'n gyffro i gyd wrth gyrraedd adra.

Mae Dad wedi anghofio am y begian (ffiw).

Mae o'n rhy brysur yn poeni am gariad doji Delia.

Af i'r gwely'n **hapus** gan ail-fyw'r gìg gyfan yn fy meddwl.

Hwn, fwy na thebyg, ydi

Yn y bore, mae Delia'n stompian o gwmpas y tŷ, yn flin fel tincar.

Grrrrrrrr

Fy mai i ydi o i gyd, deallaf, gan fod Mam a Dad rŵan am gyfarfod ei "ffrind" newydd hi. (Dwi'n JINIYS, yn dydw i?)

Dros frecwast, mae Dad yn hymian caneuon 3 DIWD.

Mae Mam yn gwisgo crys-T 3 DIWD.

Sôn am EMBARAS (pobol mewn oed yn trio bod yn cŵl). Alla i ddim dianc o'r tŷ yn ddigon cyflym.
I'r ysgol â fi, felly, efo Derec.

Mae o'n difaru ei ENAID rŵan nad oedd o wedi aros efo fi yn y cyngerdd.

Teimlad *RHYFEDD* ydi gweld Mr Ffowc yn "athro" eto.

Y peth cynta mae'n ei ofyn i mi ydi,

"LLE MAE DY WAITH CARTREF, TWM?"

"Ro'n i yn y cyngerdd, syr – cofio?"

Dydi hynna ddim yn esgus, medda Mr Ffowc, ac mi fydda i'n cael fy nghadw i mewn os na fydd o ganddo peth cynta bore fory, sy braidd yn llym, yn dydi?

(Ia, athro ydi o eto, GO IAWN.)

Gyda holl gyffro cyngerdd y **3 DIWD**, dwi'n llwyr anghofio am gyngerdd yr ysgol – sy ymlaen

Dwi ddim yn poeni, gan nad oes gen i ran ynddo fo. (Dim côr, diolch i'r nefoedd.) Ffiw.

Mae **Mrs Nap** yn chwilio am helpwyr i osod y cadeiriau yn y neuadd.

Mae'r helpwyr yn cael colli gwersi, felly dwi'n codi fy llaw.

Dim ond dangos i'r plant bach be i'w neud sy isio. **HAWDD** a deud y lleia.

Cyn gynted ag mae'r cadeiriau i gyd wedi cael eu gosod mae'r plant yn dechrau camfihafio. Amser i mi droi'n GAS ac awgrymu chwarae cyfnewid cadeiriau, sy'n eu cadw nhw'n hapus.

Does 'na ddim miwsig, felly dyma **ganu** fy **nghân** **CŴN SOMBI** 'Wîrdo 'di Delia'.

Mae popeth yn mynd yn dda IAWN. Mae'r plant bach i gyd yn ymuno efo fi, dan ganu.

"Delia, dyna wîrdo!

Delia, dyna ffrîc!" (Cytgan fach dda.)

Wedyn dyma fi'n canu'r pennill ...

... wrth i Syr Preis frathu ei ben i mewn drwy'r drws i weld be sy'n digwydd.

'Dan ni i gyd yn smalio gosod y cadeiriau erbyn hyn (mae'r plant bach yma'n dysgu'n sydyn).

"Dyna i ni gân fach siriol, Twm,"

medda fo.

"Wir, Mr Preis?"

"Wyt ti'n perfformio yn y cyngerdd heddiw?"

"Nac ydw, Mr Preis."

"Pam lai? Dylet ti wneud! Mi ga i air efo Mrs Nap, i roi rhan i ti tua'r diwedd."

"Na, wir, Mr Preis, mae'n iawn ...

Wir, dwi ddim isio canu."

"Lol botes maip! Roedd hynna'n swnio'n ardderchog. Ydach chi'n cytuno, blant?"

Ac mae'r plant bach i gyd yn ateb,,

"YDAN!"

Help ... dyna'r CWBWL dwi'i angen. Gall hyn fod yn annifyr iawn. NA. Mi FYDD o'n annifyr iawn.

Dwi ddim yn credu fod Syr Preis wedi clywed pob un o'r geiriau i gân y **GŴN SOMBI**, chwaith.

"WYT TI'N GALL?

Wrth gwrs dwi DDIM isio perfformio yng nghyngerdd yr ysgol!" medda Derec.

Dylai'r CŴN SOMBI gynllunio'u gìg gynta'n ofalus iawn, yn ei farn o. (Mewn geiriau eraill, 'dan ni'n dal i fod yn sblych ac angen ymarfer mwy.)

OND mae o'n cael syniad GWYCH i f'achub rhag neud ffŵl go iawn ohona fi fy hun.

Yr UNIG beth da am gyngerdd yr ysgol ydi'r ffaith ein bod ni'n cael mynd adra'n gynnar i "baratoi". (Bwyta wafferi caramel yn f'achos i.)

Medda Mam,

"Be ti'n feddwl,
mae 'na gyngerdd ysgol heno 'ma?"

(Ro'n i wedi anghofio sôn.)

"Ac rwyt ti ynddo fo?"

"Mewn ffordd ..." atebaf.

Roedd Mam a Dad wedi bwriadu cyfarfod cariad doji Delia heno. "Dwi ddim am eu gadael yma ar eu pennau'u hunain," medda Dad. "Mi fydd yn rhaid iddyn nhw ddod i'r cyngerdd hefyd."

Ha Ha! Bydd Delia wrth ei bodd.

Noson fach ramantus mewn cyngerdd ... ysgol.

Dwi'n dy gasáu

Mae bron iawn yn werth mynd i'r cyngerdd mond er mwyn ei gweld hi'n lloerig. Mae Derec a finna'n mynd drwy'r cynllun unwaith eto ar y ffordd yn ôl i'r ysgol.

Mae'n rhaid iddo weithio, neu mi fydd wedi canu arna i.

Mae neuadd yr ysgol yn llawn dop yn barod. Mae Mam a Dad yn eistedd reit yn y cefn, diolch byth, achos mae Mam yn gwisgo'i chrys-T **3 DIWD** ac mae Dad yn ei ddillad garddio.

3 DIWD

Clytiau

Mae Delia a'i "chariad" i'w gweld yn mwynhau ... (DDIM!)

Am y tro ola UN, mae Derec a finna'n mynd trwy'r cynllun (croesi'n bysedd).

Dyma'r goleuadau'n pylu ac ymlaen â'r cyngerdd. Yn gynta, ychydig o farddoniaeth (go sych).

Y nos a ddaw.
Cawsom fraw.
Yn y glaw.

Wedyn, rhaid diodde sawl cân gan y côr,

wrth gwrs. Ond mae'n ddoniol gwylio Carwyn a Caled yn SIGLO o ochor i ochor.

Mae Efa'n dda iawn (wrth gwrs).

Drama wedyn gan Flwyddyn Tri. (Reit ddigri.) A dawns gan Flwyddyn Chwech.

(Sy'n rwtsh llwyr.)

Wedyn cawn araith gan Syr Preis, am y tymor gwych sy newydd fod

bla bla bla.

Ond yna, dwi'n ei glywed o'n deud wrth BAWB fel y bu iddo fo ddigwydd fy nghlywed i'n canu a meddwl y dylwn i fod yn rhan o'r cyngerdd.

Am OFNADWY - dwi'n gallu teimlo fy hun yn chwysu chwartiau.

Daw fy nhro i.

Gofynna Syr Preis be ydi enw'r gân.

"**Wîrdo** di **Delia**," medda fi.

Sy'n gneud i bawb chwerthin ... heblaw am Delia, sy'n sbio'n FFIAIDD arna i.

Eisteddaf ar y llwyfan a chlirio 'ngwddw.
Mae pawb yn syllu arna i'n ddisgwylgar.

Felly cliriaf fy ngwddw eto ...

ac aros ...

ac aros ...

gan strymio'r gitâr (fel taswn ar fin dechrau canu). (Mae Syr Preis yn gwgu arna i rŵan.) A dechreuaf ofni bydd yn rhaid i mi ganu go iawn os nad ydi cynllun Derec yn mynd i weithio ...

Ond yna **O'R DIWEDD** ...

Dywed Mr Ffowc wrth bobol am beidio â chynhyrfu, dim ond y

sy'n canu.

Rhaid i bawb fynd o'r neuadd yn syth bìn.

A dyna ddiwedd ar y cyngerdd.

GWYCH!

Mae Derec yn **JINIYS!** Mae o'n codi'i fawd arna i wrth i ni adael yr ysgol. Ac wrth i ni fynd ... mae Delia'n gallu clywed rhai o'r plant bach yn canu fy nghân ...

Mae hi'n bell o fod yn hapus ond mae ei chariad hi'n chwerthin ... dwi'n amau na fydd o'n gariad iddi'n hir iawn!

Be sy mor ddigri?

Mae'n hen dro na ches i ganu fy nghân, medda Mam a Dad. (Nac ydi, wir!)

"Ond falla na ddylet ti sgwennu am dy chwaer y tro nesa," medda Mam. "Ti wedi'i hypsetio hi." (YN HOLLOL!)

Awgryma Dad fy mod i'n sgwennu am rywun arall sy'n mynd ar fy nerfa.

"Fel Yncl Cefin," ychwanega. Sy'n gneud i mi chwerthin.

Ond mae Mam yn sbio'n GAS arno fo rŵan.

Ar ôl cyrraedd adra, mae Dad a minna'n
dianc i'w sied i fwyta o'i
storfa slei o wafferi caramel.
(GWLEDD!)

Fory ydi diwrnod ola'r tymor.
Felly mae'n RHAID i mi GOFIO.

Mond heno sy gen i i orffen fy ngwaith cartra.
(A hwnnw ydi'r darn ola sy gen i i'w neud.)

Wn i - mi wna i adolygu cyngerdd yr ysgol.
Wneith hynna ddim cymryd llawer o amser!
Mond bwyta'r waffer garamel ola ...
a lapio'r papur ar gyfer Delia. Ha ha!
A thynnu ychydig o lunia.

WEDYN, wna i ddechra ar
fy ngwaith cartra ...

.......yn y bore.

(Bydd gen i DDIGONEDD
o amser os goda i'n ddigon cynnar fory.)

Dyma syniad da

CŴN SOMBI
HA! HA!
Stwnsh
Robot
Stwnsio
ffyliaid.
Ffŵl
(Carwyn)

Mr Ffowc, mae'n **WIR** ddrwg gen i am fy ngwaith cartra.

Fel y gwelwch i, dwi WEDI'I neud o.

Gadewch i mi egluro.

Ro'n i ar fy ffordd i'r ysgol pan wnaeth y ci **GWYLLT** 'ma fy nilyn ac

YMOSOD

arna i.

Roedd yn rhaid i mi f'amddiffyn fy hun efo'r unig beth oedd gen i.

Fy llyfr sgwennu.

DIOLCH BYTH, dwi'n dal mewn un darn. (Ffiw.)

Ond dydi fy NGWAITH CARTRA i ddim ...

Sori eto ...

O, diar, Twm.
A minnau wedi edrych ymlaen
at gael ei ddarllen o'r diwedd.
Bydd angen i ti ei wneud o eto
dros y gwyliau.
Yn y cyfamser, gobeithio na chei di
dy herwgipio gan bobol o'r gofod
na dy fwyta'n fyw gan GEWRI.
Yn does gen ti fywyd cyffrous,
dywed?!
Mi wela i di (a dy waith cartref)
y tymor nesaf.

Mr Ffowc

(Hwrê!) ☺

Poer ci

Fy Adolygiad

Gan Twm Clwyd

Olion dannedd creulon

Mwy o boer ci

Y Diwedd

RHYBUDD!
(LLYGAID BARCUD O GWMPAS...)

Aa

aa!
Trowch y dudalen am rywbeth gwell

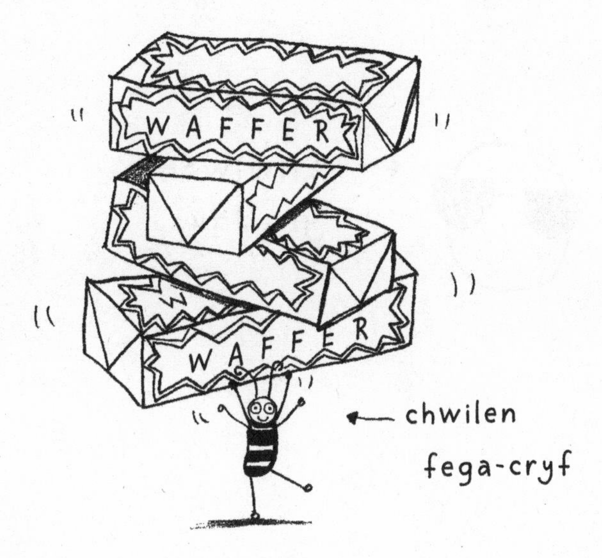
WAFFER
WAFFER
chwilen
fega-cryf

Sut i dynnu llun o'm chwaer biwis Delia

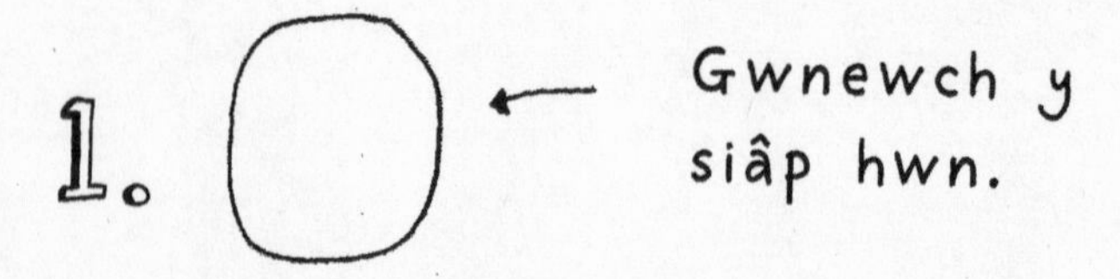

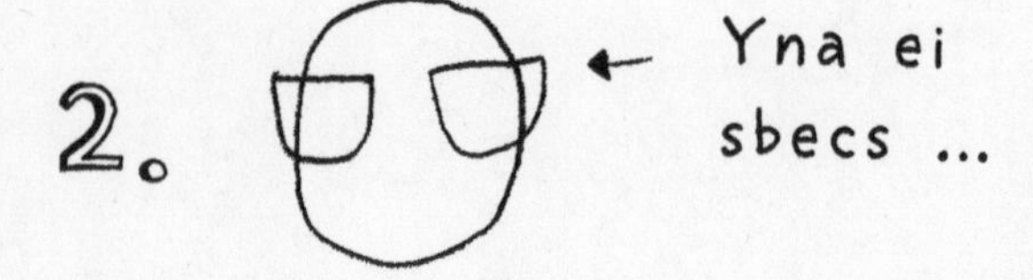

4.

Clustiau (er nad ydi hi'n GWRANDO).

Yna ei gwallt seimllyd ...

5.

... wedyn cwmwl digalon ...

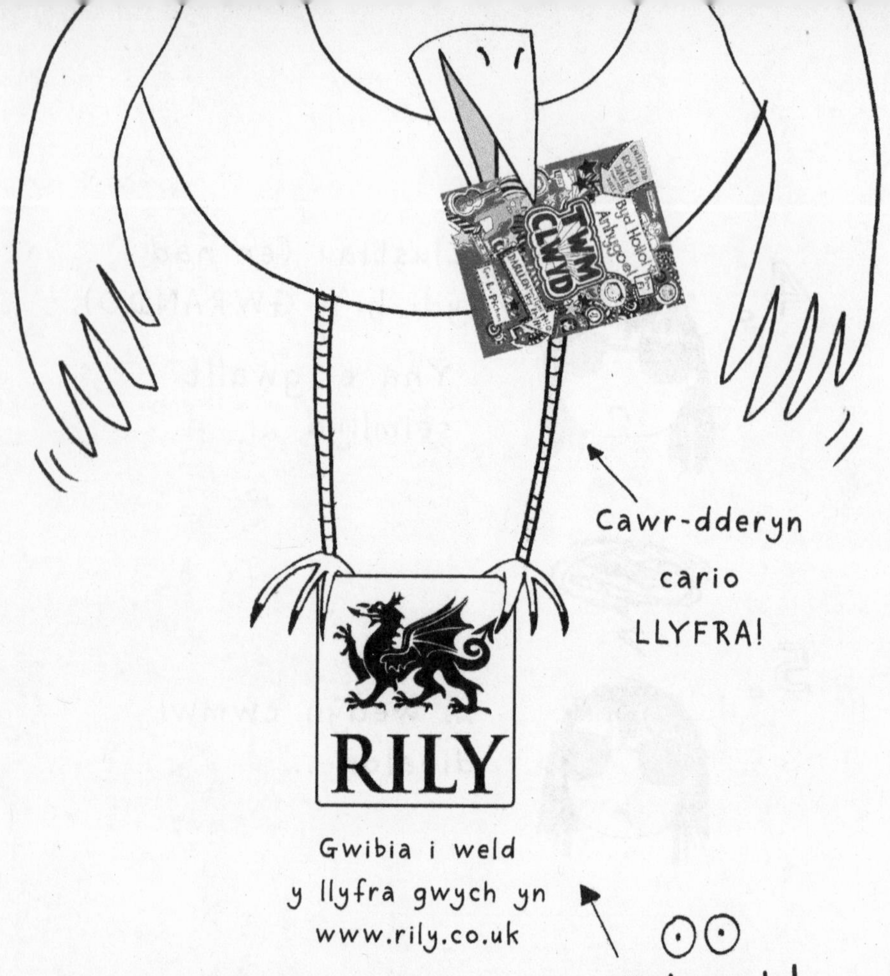

http://tomgatesworld.blogspot.com